Le journal d'Aurélie Laflamme,
Sur le point de craquer !

tome 2

De la même auteure

*Le journal d'Aurélie Laflamme, Extraterrestre…
ou presque!*, Les Éditions des Intouchables, 2006.

Les aventures d'India Jones, Les Éditions des
Intouchables, 2005.

India Desjardins

Le journal d'Aurélie Laflamme

Sur le point de craquer !

LES INTOUCHABLES

Les Éditions des Intouchables bénéficient du soutien
financier de la SODEC, du Programme de crédits
d'impôt du gouvernement du Québec et sont inscrites
au Programme de subvention globale du Conseil des
Arts du Canada.

Nous reconnaissons l'aide financière du gouvernement
du Canada par l'entremise du Programme d'aide au
développement de l'industrie de l'édition (PADIÉ) pour
nos activités d'édition.

LES ÉDITIONS DES INTOUCHABLES
4701, rue Saint-Denis
Montréal, Québec
H2J 2L5
Téléphone : 514 526-0770
Télécopieur : 514 529-7780
www.lesintouchables.com

DISTRIBUTION : PROLOGUE
1650, boulevard Lionel-Bertrand
Boisbriand, Québec
J7H 1N7
Téléphone : (450) 434-0306
Télécopieur : (450) 434-2627

Impression : Transcontinental
Conception et illustration de la couverture : Josée Tellier
Illustrations intérieures : Josée Tellier
Infographie : Geneviève Nadeau
Photographie de l'auteure : Patrice Bériault

Dépôt légal : 2006
Bibliothèque et Archives nationales du Québec
Bibliothèque nationale du Canada

ISBN-10 : 2-89549-239-5
ISBN-13 : 978-2-89549-239-9

Merci à :

Simon (que j'aime p.q.t.m.).

Ma famille (que j'adore) : Gi, Mom, Pa, Jean et Patricia.

Mes a-muse-mies (sans qui je ne pourrais rien faire) : Mel Robitch (et Éric), Mel B., Nath Slight (et Sylvain), Maude-Maude-Maude (et son papa), Isabsolutly, Michou, Ju Black et Emily Jolie.

Les Intouchables (pour leur patience et complicité !) : Michel Brûlé, Ingrid Remazeilles, Élyse-Andrée Héroux et Geneviève Nadeau.

Josée Tellier (la meilleure illustratrice du monde !!!).

Caroline Allard (pour m'avoir permis de replonger dans le secondaire).

Aussi : Annie Talbot, Corinne De Vailly, Audraine Houël, Annexe communications, Yann Fortier, Catherine Lalonde, Judith Ritchie, Stefie Shock, Catherine Paiement-Paradis, Stéphane Lapointe et Louis-Thomas Pelletier.

Et, surtout, merci au merveilleux être humain qui a eu l'idée d'inventer le chocolaaaaaat !

À Roxanne.

Janvier

Complètement légume

Mardi 3 janvier

J'ai la langue à terre. Pas parce que j'ai récemment développé un intérêt particulier pour le tapis ou l'asphalte, mais parce que je suis fatiguée. Il faut dire que j'ai eu une année chargée !

Bilan de mon année :

• Je me suis chicanée avec ma meilleure amie, Kat, pour une niaiserie. Et heureusement, nous nous sommes réconciliées.

• Kat s'est fait un chum, Truch (Jean-David Truchon), un gars que je trouve prétentieux (ne pas le dire à Kat), et elle est devenue une totale nouvelle personne, pas nécessairement améliorée. On dirait que son cerveau est devenu de la guimauve et que, maintenant, son seul intérêt dans la vie est son chum.

• J'ai eu le flash d'une théorie un peu folle comme quoi (hihi ! c'est nono) mon père ne serait pas décédé, mais plutôt (hihi ! je suis gênée) un extraterrestre (haha !) de retour sur sa (hihi !) planète natale (HAHAHAHAHA !). Bon, j'avoue que moi-même je me sens parfois comme une extraterrestre qu'on aurait oubliée sur Terre après un voyage intergalactique (genre E.T., mais avec une apparence légèrement plus attrayante). Alors, le fait de penser que j'avais du sang extraterrestre (les extraterrestres ont-ils du

15

sang?) dans les veines (les extraterrestres ont-ils des veines?) me rassurait peut-être un peu.

• J'ai pensé, avec preuves à l'appui, que ma mère sortait avec mon directeur, et je me suis royalement trompée! Denis Beaulieu ne l'intéresse que pour parler de mon mauvais comportement (justifié, selon moi) à l'école et aucunement «romantiquement» parlant. J'ai plutôt découvert qu'après des années de deuil intense, elle a décidé (beurk) de se trouver un chum (beurk) par le biais de (franchement) Internet.

• Parlant de ma mère, j'ai découvert malgré moi et totalement par hasard qu'elle portait des strings, ce qui m'a causé un énooooorme traumatisme.

• À l'école, mes notes ne sont pas si bonnes, mais je tente d'améliorer ma situation. Ç'a déjà commencé en français. Pour un travail, je me suis vraiment forcée et, même si je suis la plus poche du groupe enrichi depuis le début de l'année, j'ai eu la meilleure note! J'ai écrit un poème qui a été très apprécié par ma prof, Marie-Claude. Et je compte en écrire d'autres.

• Pour Noël, j'ai eu un minou (Sybil, la plus belle petite minoune de la planète!!!). J'ai eu aussi: un nouveau journal (de ma tante Louise), des *Archie* (de ma mère et de ma tante) et un iPod (de mes grands-parents Charbonneau et de ma grand-mère Laflamme qui se sont cotisés!!!). À part le fait que mon père n'était pas là, c'était un de mes meilleurs Noëls!

• Ah oui, dernière affaire… J'ai *frenché* (hihi!). Avec Nicolas. C'est un gars qui sent le bon assouplissant et son haleine (hihi! vérifié parce que j'étais, disons, assez proche) la gomme au melon. Depuis, je ne l'ai pas revu. Je n'ose pas retourner à l'animalerie où il travaille, même si ma mère m'a dit que c'est grâce à lui que j'ai pu avoir ma belle Sybil. (Il la gardait pour moi : *cute*!) Alors, on ne s'est pas donné de nouvelles depuis qu'on s'est embrassés, le 23 décembre dernier.

14 h 12

Je change de position sur mon lit. J'écrivais tout ça dans mon nouveau journal couchée sur le ventre et j'ai commencé à avoir le bras engourdi. Sybil est en bas de mon lit et elle s'acharne contre le reflet de ma montre sur le mur (je fais un peu exprès, c'est trop drôle de la voir sauter). Avant de plonger dans mes résolutions pour la nouvelle année, je joue un peu avec elle. Je ne peux m'empêcher de la prendre dans mes bras et de lui donner plein de bisous sur son petit nez rose. Elle est tellement mimi! En plus, elle est *cute* dans tout ce qu'elle fait : quand elle se gratte, quand elle se lave, quand elle fait « miuuuu », quand elle joue avec quelque chose avec ses petites pattes… Je l'adore! Et je crois que c'est une chatte à l'intelligence supérieure! On n'a même pas été obligées de lui apprendre à aller dans sa litière! Elle y est allée tout de suite. Depuis que je l'ai, elle dort toujours avec moi, et on dirait qu'elle sait que sa chambre, c'est *ma* chambre. Et l'autre jour, ma mère a passé une heure à lui donner des bisous en disant : « Bisou, bisou » chaque fois qu'elle s'apprêtait à l'embrasser. Sur le coup, je trouvais ma mère vraiment virée sur le top, mais depuis ce temps-là, chaque fois qu'on dit le mot «bisou», Sybil lève son petit museau dans les airs, comme si elle savait ce qu'on voulait dire! Elle est trop trop trop *cute*!

Ma mère m'a proposé qu'on n'envoie pas Sybil dehors et qu'on la fasse dégriffer quand elle serait un peu plus vieille. Je suis d'accord. Je ne voudrais pas la perdre. Jamais. D'ailleurs, j'ai promis à Sybil de ne jamais partir sans elle. Pendant les fêtes, je l'ai emmenée partout dans ma famille et tout le monde a ca-po-té sur elle!

14 h 30
Mes résolutions pour la nouvelle année:

1. Aider davantage ma mère avec le ménage. Elle me le demande souvent, et j'avoue que je pourrais me montrer un peu plus copérative… coopérative? Voyons, comment ça s'écrit?

2. Chercher les mots que je ne connais pas dans le dictionnaire. (Coopérative, voilà! Déjà une résolution de tenue!)

3. Ne plus me chicaner avec Kat. (Ce qui veut dire suivre les règles: ne pas dire qu'on a tripé sur des chanteuses pop qui ne sont plus à la mode, ne pas dire que j'aime des films trop jeunes genre *La petite sirène* et ne pas laisser les gars briser notre amitié.)

4. Ne pas dire à Kat que je trouve Truch prétentieux, affecté, ampoulé, arrogant, crâneur, emphatique, guindé, immodeste, inabordable, insolent, m'as-tu-vu, maniéré, orgueilleux, outre-cuidant, pédant, pontifiant, poseur, précieux, présomptueux, ronflant, suffisant, supérieur, vain, vaniteux, vide. (Ma nouvelle résolution de regarder dans le dictionnaire est une super

résolution! Il y a vraiment plein de synonymes pour décrire Truch!)

5. Améliorer mes notes. Je suis vraiment pourrie en anglais. En maths. En géo. Et, en français, je suis bonne, vu que je suis dans le groupe enrichi, mais je suis la plus nulle du groupe de bolées. Faudrait que ça change. Peut-être faudrait-il que j'écrive plus de poèmes?

En voici un:

Un skateur charmeur

A fait un ollie dans mon cœur

Heureusement… ce n'est pas un… voleur? tombeur? moteur? chanteur?

Ô, que j'aime… les rimes en « eur »!

(Bon, travailler mon côté poète. Il est vrai que le poème que j'ai remis en français était très travaillé et que celui-là est spontané, alors…)

6. Faire plus de sport.

7. Ne pas trop m'emballer avec «l'affaire Nicolas». (D'ailleurs, précision, ce n'est *pas* lui qui m'a inspiré le poème du skateur… C'était vraiment seulement… l'inspiration du moment.) J'aimerais voir mon premier baiser comme une simple expérience de vie et non comme une potentielle histoire d'amour. Avec toutes mes résolutions, j'entrevois avoir du pain sur la planche cette année, et ce n'est pas en devenant comme Kat et en mettant toutes mes énergies sur un gars que je vais atteindre mes buts de vie. Ça ne me tente pas de virer guimauve et de devoir changer mes habitudes de vie juste pour un gars! La seule chose qui me titille, disons, c'est que ça va me gêner de revoir Nicolas. Maintenant qu'on s'est embrassés, comment agit-on l'un envers l'autre? De toute façon, ce

n'est pas comme si c'était, disons, un problème pour l'instant parce que depuis cet « événement », on ne s'est pas donné de nouvelles. Hon ! Il s'est peut-être fait *enlever* par les extraterrestres !

8. Tenter d'arrêter de toujours tout mettre sur le dos des extraterrestres.

9. Essayer de ne pas trop m'en faire sur le fait de revoir Nicolas (peut-être qu'il serait même bon de l'éviter, ou carrément de déménager).

10. Proposer à ma mère de déménager.

18 h

Ma mère refuse catégoriquement de déménager. Je lui en ai parlé pendant le souper (steak, patates et brocoli… Je n'avais plus vraiment faim rendue aux brocolis). J'ai tout essayé : ma chambre est trop petite, on verrait moins les traîneries (ça, je croyais vraiment que ça la ferait réagir), si tu dis oui, je mangerai tous mes brocolis, etc. Elle n'a pas bronché. Elle m'a ensuite demandé pourquoi je tenais tant à déménager. Je n'ai pas osé lui dire que c'est parce que j'avais embrassé quelqu'un et qu'il serait préférable que je ne le croise plus pour éviter toute forme de malaise entre nous. Il y a des choses qu'il vaut mieux garder secrètes. Alors, j'ai dit que je croyais qu'un changement nous serait profitable. Ma mère a trouvé mon argument convaincant et m'a proposé de changer la décoration de la maison. Elle m'a dit qu'on allait repeindre ensemble et que ça nous ferait un beau projet commun. Elle était tout excitée. Bravo à moi-même (auto-sarcasme) ! Je viens de me mettre quarante mille ans de tâches ménagères sur les épaules ! Moi qui suis déjà épuisée !

Mercredi 4 janvier

Pour Noël, ma mère a eu un ordinateur portable. En fait, ses parents lui en ont financé la moitié. C'est cool, parce que je peux recharger mon iPod dessus. Et notre ancien ordinateur était tellement vieux qu'il était impossible d'avoir Internet haute-vitesse et ça prenait un million d'années pour trouver un site. Depuis qu'elle a son portable, elle *chatte*. Elle a tenu sa résolution de s'inscrire sur un site de rencontres et on dirait qu'elle est accro.

19 h 15

Pendant que je défais le sapin avec ma mère, je me demande (silencieusement, évidemment, j'ai mes secrets) pourquoi Nicolas n'a pas essayé de me voir ou de m'appeler. Bon, j'avoue, il n'a pas mon numéro de téléphone. Après qu'on se soit embrassés, on était assez bouleversés. Lui, il est retourné travailler à l'animalerie, et moi, je suis revenue chez moi (transportée par un nuage, selon mes souvenirs). Mais un numéro de téléphone, c'est assez facile à trouver. Il n'est pas débrouillard! Qui veut d'un gars pas débrouillard? Pas moi, puisque selon mes résolutions, je n'ai aucun temps à consacrer à une potentielle histoire d'amour. Mais c'est quand même toujours moi qui allais le voir à l'animalerie! Bon, je n'y allais pas *vraiment* pour lui, c'était *surtout* pour Sybil, mais quand même, il pourrait faire un effort pour venir un peu vers moi de temps en temps! Bon, on est pendant les vacances de Noël, ça se peut qu'il doive, tout comme Kat, visiter sa famille qui habite aux quatre coins du Québec et qu'il soit dans le fond de Saint-Clin-Clin et qu'il n'y ait pas de téléphone. (Pfff! Comme si ça se pouvait dans l'ère numérique dans laquelle nous sommes!)

19 h 20

Ah nooooooooooooon! Je fais exactement le contraire de ma bonne résolution! Je suis en train de m'emballer, je me transforme et je suis sur le point de virer guimauve. Très mauvais. Très très mauvais.

Remarque que ça ne me surprend pas de moi, j'ai toujours de la difficulté à tenir mes résolutions. L'an passé, j'étais résolue à arrêter de manger des biscuits aux brisures de chocolat et, une heure après avoir écrit cette résolution, j'ai mangé TOUT UN SAC DE BISCUITS! J'étais également résolue à devenir championne de natation. J'ai joint une équipe, j'ai participé à une compétition et j'étais teeeeeellement lente qu'ils ont commencé la seconde compétition avant même que j'aie terminé ma longueur (je suis invisible ou quoi?). J'ai lâché l'équipe. Pas parce que je suis une lâcheuse, mais parce que j'ai une certaine dignité à conserver et que j'ai découvert ce jour-là que j'étais contre toute forme de compétition (c'est seulement un adon que j'aie eu cette révélation cette journée-là).

19 h 23

Ma mère (déposant une boule dans la boîte de décorations de Noël): À quoi tu penses, ma belle?

Moi : Euh… euh… (Surtout, ne pas parler de Nicolas.) À la fois où ils ont commencé une compétition avant que j'aie terminé la longueur.

Ma mère : Oh, pauvre 'tite Choupinette! (Elle me prend dans ses bras.) T'en fais pas avec ça. Moi, je trouvais que tu te débrouillais très bien.

Oh là là!

Jeudi 5 janvier

Je viens de décider que je m'en fous de ne pas avoir de nouvelles de Nicolas. J'ai vécu toute ma vie – c'est-à-dire quatorze ans – sans qu'on s'appelle. Je pense que je peux passer les prochains soixante-dix ans comme ça sans que ça ne change rien.

18 h 01

Après le souper, ma mère est en feu.

Ma mère : Aurélie, viens, on s'en va à la quincaillerie choisir nos nouvelles couleurs!

Moi : Tu ne *chattes* pas?

Ma mère : Je fais une surdose d'écran cathodique! Il faut que je sorte! Toi aussi. Allez ça va nous faire du bien de changer d'air!

Moi : Hmmm… Ce serait le fun, mais il faut que je reste ici pour… euh… Sybil. Elle est malade.

Ma mère jette un regard sur Sybil qui saute pour essayer d'attraper la ceinture de son manteau.

Ma mère : Malade ?

Moi : C'est une maladie rare du… cerveau. Je pense qu'il faut la surveiller. Elle pourrait briser quelque chose dans la maison et tu pourrais revenir et tout serait en bordel et tes divans déchiquetés ou quelque chose comme ça.

Ma mère : Ton chat ne fait pas dix centimètres ! Avant de détruire quoi que ce soit, ça va prendre une éternité. Allez, viens !

À l'agenda : Trouver des bonnes vitamines à Sybil pour que la raison « destruction massive d'une maison » puisse éventuellement devenir un alibi pour ne pas être obligée d'aller dans une quincaillerie.

18 h 30

Ma mère et moi sommes dans les allées à la recherche de la peinture. Ça fait un bon bout de temps que nos murs sont de la même couleur. Je ne me souviens pas c'est quand la dernière fois qu'on a changé. C'est certain que mon père était encore en vie. Donc, plus de cinq ans.

19 h 05

Ça fait combien de temps qu'on est devant les palettes de couleur ? Une é-ter-ni-té ! Il y a plein de couleurs qui se ressemblent, sauf avec une petite légère nuance qui, semble-t-il, paraît sur le mur. Et la musique de quincaillerie est très déprimante et ma mère ne veut pas que j'écoute mon iPod, car elle dit que ça nous empêche de communiquer (soupir).

Moi : Maman, t'es sûre que tu veux repeindre tout de suite ?

Ma mère (excitée) : Oui, c'est une idée géniale que tu as eue !

Moi : Ouain, bof.

Ma mère : Qu'est-ce qu'il y a ? Tu as changé d'idée ?

Moi : C'est juste que je ne sais pas si c'est le bon moment. J'ai fait ma liste de résolutions pour la nouvelle année et je voudrais vraiment améliorer mes résultats scolaires… et… t'aider plus à faire le ménage. Déjà, ces deux résolutions sont assez prenantes. Et toi… tu oublies ta résolution de te trouver un chum. Ça se peut que tu *chattes* longtemps avant de trouver quelqu'un. Si on passe toutes nos fins de semaine à peindre, on va avoir de la difficulté à tout faire.

Argument-choc. Je l'ai déduit à l'expression de ma mère.

Ma mère : Tu as peut-être raison. (Elle regarde les palettes de couleurs qu'elle tient dans ses mains.) Hum… Ça ne te dérange pas que je me fasse un chum ?

Moi : Non. (Non dit : Oui, mais ça peut prendre une éternité avant que ça arrive ! Ha, ha !)

Ma mère m'a regardée, puis a posé de nouveau ses yeux sur le carton de couleur « café givré » qu'elle tenait dans ses mains. Et elle m'a dit qu'attendre au printemps était une bonne idée. Surtout parce qu'on allait pouvoir ouvrir les fenêtres. Elle a dit qu'elle s'était peut-être emballée trop vite et m'a avoué qu'elle était dans une « énergie de changement ». J'ai quand même apporté avec moi la couleur « rouge cerise », car je trouve que ça pourrait faire beau dans ma future nouvelle chambre.

19 h 15

Alors qu'on se dirigeait vers la sortie, en passant par la rangée des meubles de jardin, j'ai commencé à sentir une super-bonne odeur.

Moi : Maman, ils vendent de l'assouplissant ici ?

Ma mère : Je ne sais pas… Mais ça ne me surprendrait pas. Il y a de tout !

Ça sent le même assouplissant que celui de Nicolas. Si je trouve d'où vient l'odeur, je pourrai en acheter. (Pas parce que je veux sentir comme lui, mais parce que ça me semble une marque de qualité.) Je commence à avancer mon nez et à renifler pour trouver quelle est la marque de son assouplissant et je tombe… directement sur lui ! Je fais alors un gros sursaut et je crie « AAAAAH ! » Zéro subtile.

Ma mère dit :

– C'est lui, Aurélie ! C'est lui qui m'a donné Sybil !

La subtilité n'est pas une qualité qui semble très populaire dans ma famille. Je reste figée. Nicolas est avec son père. De peur qu'il m'embrasse devant nos parents, je feins de m'intéresser à une chaise pliante.

Moi : Regarde, France, la belle chaise pliante. C'est ce qu'on cherchait !

Je ne sais pas pourquoi j'ai appelé ma mère par son prénom. C'est sorti tout seul. Mais ma mère a regardé Nicolas, puis m'a regardée, et j'ai eu l'impression qu'elle savait tout.

Ma mère : Merci pour la petite chatte. On l'adore.

Nicolas : De rien. Ça va, Aurélie ?

Moi : Oui, toi ?

Ma mère (tendant la main à son père) : Bonjour, France Charbonneau.

Père de Nicolas (serrant la main de ma mère en souriant) : Yves Dubuc.

Ma mère : Yves, j'aurais besoin de conseils pour mon barbecue. Le mien est pareil à celui-là, là-bas.

Ma mère est partie avec le père de Nicolas un peu plus loin devant un barbecue. ON N'A MÊME PAS DE BARBECUE ! ET ON EST EN PLEIN HIVER !!! Ma mère est une traîtresse.

19 h 22

Nicolas (regardant vers nos parents) : Elle est cool, ta mère.

Moi : Ton père n'est pas célibataire, hein ? Je ne voudrais pas que ce soit ce genre d'histoire très inconfortable où ma mère tripe sur le père d'un gars qui…

Nicolas : …qui quoi ?

Moi : Qui… euh… Que je connais.

Nicolas : Non, non ! Il a une blonde depuis longtemps ! Ha ! Ha ! Ha !

Moi : Ah. Tant mieux. En passant, euh… merci pour… Sybil. Ma mère m'a raconté que tu la gardais pour moi.

Nicolas : J'ai vu que vous aviez une connexion. Ç'aurait été dommage de... laisser passer ça.

J'ai soudainement senti mes jambes trembler et j'étais un peu déconcentrée par son odeur de bon assouplissant.

Moi : Ça fait longtemps que je veux te demander... euh... Qu'est-ce que ta mère ou la blonde de ton père... ou ton père ou en tout cas la personne qui s'occupe du lavage chez vous utilise comme assouplissant ?

Nicolas : HA ! HA ! HA ! J'sais pas !

Moi : Ah.

Nicolas : As-tu passé de belles fêtes ?

Moi : Oui.

Nicolas : Bonne année, en passant.

Moi : Bonne année.

Nicolas : Je voulais t'appeler, mais... on a oublié de s'échanger nos numéros.

Moi : Ouain.

Un commis passe et Nicolas lui demande s'il peut lui emprunter un crayon. Puis, il prend ma main et écrit un numéro de téléphone (le sien, j'imagine, sûrement pas un numéro de téléphone au hasard, je ne sais pas trop à quoi ça servirait) puis, il dessine un bonhomme sourire à côté. Et il me dit :

– Appelle-moi !

19 h 56

Dans la voiture, ma mère avait un petit sourire en coin, mais elle ne m'a pas posé de questions. Fiou ! Je ne suis pas encore prête à tout lui raconter. Je lui ai seulement dit :

– Pis, est-ce que tu sais comment fonctionne le barbecue maintenant ?

Et on a éclaté de rire.

20 h

J'allais me laver les mains quand j'ai réalisé que j'avais encore le numéro de téléphone de Nicolas (oui, oui, je l'avais bel et bien oublié), alors (pas que j'y tienne absolument) je l'ai noté dans mon carnet d'adresses, au cas où un jour ça me serait utile.

Cas où ça pourrait vraiment m'être utile :
• Je perds Sybil. (Il sait à quoi elle ressemble et il y est attaché puisqu'il l'a connue tout bébé à l'animalerie, il serait la personne toute désignée pour m'aider.) P.-S. : Je souhaite que ça n'arrive jamais (pas que Nicolas m'aide, mais de perdre Sybil).
• J'oublie ma clé, je suis pognée dehors et personne n'est disponible. Il faudrait bien que je joigne quelqu'un. (Pour ce cas précis, il faudrait que j'apprenne son numéro par cœur, car comme je n'aurais pas mes clés, je ne pourrais pas regarder dans mon carnet d'adresses.)
• Je fais déborder l'eau du bain et la maison est inondée. (Il connaît peut-être un plombier ?)
• En fouillant dans les vêtements de ma mère, je fais tomber la barre de support pour les ceintres dans sa garde-robe et je suis incapable de la remettre en place. (Ce n'est pas Kat qui pourrait m'aider à la replacer avant l'arrivée de ma mère et je me ferais engueuler solide !)
• Je suis seule à la maison, je me fais des toasts et je sors le pot de, disons, confiture aux

framboises, et je suis incapable d'ouvrir le couvercle. Après avoir appelé tout le monde que je connais pour m'aider, si je n'arrive à joindre personne, je serais bien obligée de l'appeler, car il faudrait absolument que je réussisse à ouvrir le pot pour ne pas gaspiller mes toasts. (Je sais très bien que quelque chose cloche dans ce plan, genre que je pourrais me prendre du beurre d'arachides si je ne veux vraiment pas gaspiller mes toasts. Mais admettons que ma mère n'ait pas fait l'épicerie et qu'il ne reste que *ce* pot de confitures…).

Vendredi 6 janvier

Kat est de retour ! Enfiiiiiiiiiiiiiiiiin !!!

Elle m'a appelée alors que j'étais plongée dans un film (qu'est-ce qu'ils passent des bons films pendant les vacances !), mais ça ne m'a pas dérangée d'arrêter de regarder le film parce que 1) ça fait une éternité que je n'ai pas parlé à Kat et 2) j'étais ironique quand je disais que c'était un bon film.

14 h 56

Ça fait une heure que je parle au téléphone avec Kat. Elle a eu plein de cadeaux, dont la nouvelle version de *Dance Dance Revolution* pour son Playstation, ce qui lui a énormément fait plaisir, car elle n'avait chez elle que le *Britney Spears Dance Beat*, et, comme elle ne veut en aucun cas avoir l'air d'avoir un jour tripé sur Britney Spears, elle ne s'en sert plus et l'avait caché. Elle allait toujours danser sur le *Dance Dance* à l'arcade, mais ça commençait à lui coûter cher. Comme je ne suis pas bonne à ce jeu (« pourrie » serait plus approprié), elle m'a dit que je pourrais m'y exercer chez elle.

14 h 59

Avant de raccrocher, Kat m'a dit à quel point je lui avais manqué ! J'ai dit : « Moi aussiiiiiiiiiiii », et là, elle a dit :

– Excuse de ne pas t'avoir appelée. Je n'avais droit qu'à un interurbain de cinq minutes par jour et j'ai appelé Truch.

Moi : Tous les jours ?

Kat : Oui, mais c'est mon chum ! D'ailleurs, je le vois tantôt... et demain... et dimanche aussi.

Moi : Et moi ?

Kat : On va se voir à l'école lundi, mardi, mercredi, jeudi et vendredi ! Truch ne va pas à notre école et...

Moi : C'est sûr ! C'est une école de f-i-l-l-e-s !

Kat : Tu comprends ? Je ne l'ai pas vu depuis longtemps et je ne pourrai pas le voir de toute la semaine prochaine.

J'entends Julyanne, la sœur de Kat, crier : « Téteuse ! »

Kat (à sa sœur, sûrement pas à moi) : Arrrgh ! Chut ! Je suis au téléphone !

Moi : Ouain... Je comprends. Mais j'ai hâte de te voir pareil !

Kat : Moi aussi !

À proscrire de ma vie : L'amour. BEURK !

P.-S. : J'avais prévu de lui raconter en personne mon *french* avec Nicolas, mais comme elle préfère voir Truch, je ne lui ferai pas l'honneur de lui révéler mon super-gros potin ! Petite vengeance personnelle.

Samedi 7 janvier

Ma mère *chatte* encore. Surdose d'écran cathodique, mon œil ! J'hésite entre être contente pour elle, car ça fait du bien à son ego, ou inquiète, car on ne sait pas sur qui elle peut tomber là-dessus. Elle pourrait se faire enlever pour la traite des Blanches ou quelque chose comme ça. Ma mère est super-belle et elle serait très facile à vendre. Internet est une méthode de rencontre très dangereuse. Bon, calmons-nous, pour l'instant, elle ne fait que *chatter*.

Midi

Je mange un sandwich à la dinde en regardant MusiquePlus. Je suis fascinée par un clip où on voit une chanteuse qui porte des strings par-dessus son jean. Je trouve ça très peu hygiénique. Je croyais que les bobettes servaient à protéger, en quelque sorte, les vêtements. À quoi ça sert si elle met ses bobettes par-dessus son jean ? À moins que son jean soit comme ses bobettes et qu'elle le lave tous les jours et que ses bobettes sont comme ses vêtements? Ou à moins qu'elle ait quand même des bobettes sous son jean, en plus d'en avoir par-dessus. Elle tripe bobettes solide, cette fille-là! Ou elle est carrément riche pour avoir un jean-bobettes! Je trouve ça très laid des bobettes par-dessus un jean. Aussi laid que si quelqu'un décidait de mettre ses bas par-dessus ses souliers. Pas rapport. J'espère que ma mère ne fera jamais ça avec ses propres strings.

12 h 10

Je m'emmerde.

12 h 15

Solide!

12 h 20

Je m'emmeeeeeeeeeerde soliiiiiiiiiiiiide!

12 h 25

Je croyais que j'allais passer la fin de mes vacances avec Kat. Mais elle passe la fin de ses vacances avec Truch. Et je n'ai pas vraiment d'autre vraie amie que je pourrais appeler pour faire des activités sans que j'aie l'air de les prendre pour des bouche-trous.

Est-ce que, pour ne pas gâcher la fin de mes vacances, je devrais appeler Nicolas?

Ce serait vraiment pour ne pas gâcher la fin de mes vacances. Ça pourrait même être considéré comme une situation d'urgence. Genre, urgence sociale.

33

14 h 12

J'ai attendu de connaître le numéro de téléphone de Nicolas par cœur avant de me sentir prête à l'appeler et il se trouve que son numéro est *très* long à mémoriser. Je me demande ce que je pourrais lui dire… Mais il m'a dit de l'appeler, alors peut-être que *lui* a des choses à me dire et que je n'ai pas *besoin* de trouver les sujets de conversation. Je pourrais peut-être lui dire que c'est plate de se faire salir la main avec un stylo. Non, c'est un peu agressif. Peut-être : « Es-tu bon pour ouvrir les pots de confiture ? » Hahaha ! Non, c'est con.

14 h 15

OK, je suis prête. Je l'appelle.

14 h 15 (et 30 secondes)

Ouh, non ! Pas capable ! Hihihihihihi !

14 h 16

Bon, j'y vais.

14 h 16 (et 30 secondes)

Hihihihihihihihihihi ! Noooooooooooooon !

14 h 17

Si jamais je réussis à l'appeler, il ne faut pas que je lui parle du 23 décembre, jour où on s'est embrassés.

14 h 17 (et 30 secondes)

OK. Je compose son numéro. Wouaaaaaah ! Je rougis. Ça sonne. Au secouuuuuuuuuuuuurs !

Quelqu'un répond. Aaaaaaaaaaaaaaaaaaaah ! C'est une madame.

Moi : Euh… oui, allô. Euh… est-ce que je pourrais parler à Nicolas, s'il vous plaît ?

Madame (sûrement la blonde du père de Nicolas) : Il n'est pas là, est-ce que je peux prendre le message ?

Moi : Euh… non merci, je vais rappeler.

Ah merde ! J'étais déjà toute prête !

15 h 10

Je me demande quel est le meilleur temps pour le rappeler. Une heure après ? Ou demain ? L'affaire, c'est que ça m'a pris du temps pour me motiver, et là, j'étais prête, alors c'est comme du gaspillage de préparation mentale. Non, je vais avoir l'air tache si je le rappelle.

15 h 14

À moins que je change ma voix. La madame ne pourra pas dire qu'il y a une fille qui a appelé deux fois, parce que je vais avoir changé ma voix et, donc, je serai méconnaissable !

15 h 16

OK, je me lance ! Ça sonne. C'est un monsieur qui répond. Comme je suis surprise et que je m'attendais à faire une nouvelle voix, je me suis dit pendant que je demandais à parler à Nicolas que c'était inutile que je change ma voix puisque cette nouvelle personne n'avait jamais entendu ma première voix (à moins qu'ils utilisent le mains libres). Alors, ça a donné quelque chose comme ça :

35

Moi (nouvelle voix plus grave) : Est-ce que je…

Moi (voix de transition) : pourrais…

Moi (vraie voix avec débit plus rapide) : parler à Nicolas, s'il vous plaît ?

Monsieur (sûrement père de Nicolas) : Il n'est pas là en ce moment, est-ce que je peux lui laisser un message ?

Moi : Euh, non, merci. Je vais rappeler (JAMAIS).

Monsieur (sûrement père de Nicolas) : Est-ce que c'est toi, Aurélie ?

Moi : Euh… Non, vous faites erreur de numéro. (Mais qu'est-ce que je dis là, moi ? C'est moi qui ai appelé !) Bye.

Ah, merde ! J'aurais dû attendre à ce soir avant de le rappeler.

16 h 34

Le téléphone sonne. *Yes* ! Une activité ! C'est sûrement ma grand-mère Charbonneau qui veut savoir si ma mère se sert de son ordinateur. Je vais pouvoir lui dire qu'elle est comme mariée avec !

Moi : Oui, allô ?

Voix de gars : Allô, Aurélie, c'est Nicolas.

Moi : Allô…

Nicolas : Ça va ?

Moi : Oui, toi ?

Nicolas : Oui. Tu m'as appelé ?

Moi : Non.

Nicolas : Ah… Qu'est-ce que tu fais ?

Moi : Rien, toi ?

Nicolas : Pas grand-chose.

Moi : Ah.

Nicolas : Euhm, est-ce que ça te tenterait qu'on fasse quelque chose ensemble demain ?

Moi : Comme quoi ? (Je ne vais quand même pas chambouler tout mon horaire pour lui… À moins qu'il me propose quelque chose de cool qui en vaut vraiment la peine.)

Nicolas : On pourrait jouer à *Mario Kart*.

Moi : OK. (Oui, ça c'est cool, *Mario Kart*, ça vaut la peine de chambouler mon horaire de végétage.) Chez toi ?

Nicolas : Mes parents s'en vont dans l'après-midi.

Moi : Ah. OK.

Après qu'il m'a donné son adresse et l'heure de notre rendez-vous (ouuuuuh), j'ai été soudainement intriguée par quelque chose.

Moi : Hé, euh, comment t'as eu mon numéro ?

Nicolas : J'avais le nom de ta mère deux fois sur mon afficheur.

Aaaargh ! Je suis vraiment *twit* !

Dimanche 8 janvier

Est-ce qu'il y a une loi contre les parents qui *chattent* tous les jours sur le Net à la recherche de l'homme de leur vie ? Eh bien, non ! J'ai cherché « Loi contre les parents qui *chattent* tous les jours sur le Net à la recherche de l'homme de leur vie » sur Google (le peu de temps que j'ai pu utiliser l'ordi de ma mère, c'est-à-dire pendant qu'elle était aux toilettes) et ça m'a répondu : « Loi contre les parents qui *chattent* tous les jours sur le Net à la recherche de l'homme de leur vie – *did not match any documents* ». Là, ma mère est revenue de la salle de bain super-frustrée, croyant que j'avais perdu sa page, où elle « clavardait » (c'est elle qui a utilisé ce mot. Tellement typique ! Il n'y a que les parents qui utilisent ce mot !). Bref, je lui ai expliqué qu'on pouvait aller dans « fichier » et « ouvrir une nouvelle fenêtre Web ». Elle m'a répondu et je cite : « Super ! Je vais pouvoir clavarder avec plusieurs gars en même temps. » (Elle n'a pas dit : « messieurs », comme moi j'aurais décrit les gars avec qui elle peut sortir, ou « hommes » ; elle a dit : « gars ». Il a quel âge, coudonc, son futur chum ?)

Tout ça m'a changé les idées parce que depuis que je suis levée, je suis assez stressée parce que je m'en vais chez Nicolas.

14 h 31
Heure de mon arrivée chez Nicolas. Il m'avait dit 14 h 30. Mais je sais que Kat m'aurait suggéré d'arriver un peu en retard, et comme 14 h 31, c'est trop près de 14 h 30, je me suis cachée entre les branches d'une épinette, tout près de son entrée. Je vais attendre jusqu'à 14 h 36.

14 h 33
Je vois le visage de Nicolas apparaître entre les branches de l'épinette, ce qui me fait sursauter.

Nicolas: Aurélie? Qu'est-ce que tu fais là?

Moi: Euh… euh… J'avais cru voir… un oiseau… rare. Un oiseau rare.

Nicolas: Cool! Où ça?

Moi (en pointant une branche): Ici. Mais, finalement, je m'étais trompée, et mon manteau est resté coincé… Ah, mais c'est correct maintenant.

Nicolas: Viens, entre! On gèle.

En nous dirigeant vers la porte d'entrée, Nicolas a balayé les épines d'épinette sur mon manteau.

Note à moi-même: Ne plus jamais faire de plan avec Nicolas: ILS NE FONCTIONNENT JAMAIS. Et j'ai juste l'air TOP NOUILLE!!!

15 h

Quand Nicolas m'a proposé de venir chez lui pour jouer à *Mario Kart*, je croyais que c'était une façon détournée de me dire qu'on s'embrasserait encore sans me le dire parce que ce serait trop direct. Je ne croyais pas qu'on jouerait *vraiment* à *Mario Kart*.

15 h 10

J'ai pris les deux princesses, Peach et Daisy, pour faire plus féminine, même si habituellement je préfère prendre les deux tortues. Mais je ne peux pas prendre les tortues devant Nicolas. Des plans pour qu'il trouve que j'ai une tête de tortue ou quelque chose du genre. Et, comme choix féminins, il n'y a que les deux princesses et, je dois l'avouer, elles vont assez lentement et elles sont un peu tartes. Elles font des courses de Go-Kart en robe (je crois que leur crinoline pogne dans le vent), et l'une des deux, je ne sais pas laquelle, n'arrête pas de crier «hahaaaa» chaque fois qu'elle dépasse quelqu'un. REGARDE LA ROUTE ESPÈCE DE TARTE!!! Nicolas, lui, a pris Mario et une de mes tortues, Koopa (grrr).

15 h 30

Nicolas a gagné. C'est évident! Il avait des meilleurs bonshommes! Je déteste perdre. Habituellement, je suis super-bonne à *Mario Kart*. Une des meilleures! Ça faisait un bout que je n'avais pas joué. Je crois que je vais m'exercer en cachette chez moi et, la prochaine fois, je ne prendrai pas les princesses! Ben... peut-être seulement une des deux princesses, juste question de ne pas avoir l'air trop *tomboy* avec Koopa.

15 h 35

Nicolas m'a offert du jus. Pendant qu'il est parti en chercher, j'ai décidé de faire une course toute seule, avec mes tortues. Je suis contente de voir que je n'ai pas perdu la main et que je devais seulement être déconcentrée.

15 h 40

Nicolas arrive avec les jus. Merde! Il ne m'a pas dit que c'était aux raisins. Je n'aime pas le jus de raisin.

Moi: Euh, je n'aime pas le jus de raisin.

Nicolas: Ah, pas grave, je vais le donner à mon frère. Max?

Un gars un peu plus vieux que Nicolas sort d'une pièce tout près du salon.

Maxime : Qu'est-ce qu'il y a ?

Nicolas : Veux-tu du jus de raisin ? Aurélie n'en veut pas.

Maxime : Oh, c'est toi Aurélie ! Salut, ça farte ?

Moi : Euh…

Maxime : Tu n'aimes pas le jus de raisin ?

Moi : Non.

Maxime : C'est raisin. J't'ai cassée !

Nicolas : Euh… Maxime ?

Maxime : Quoi ?

Nicolas : C'est qui le plus vieux entre nous deux ?

Maxime : Moi.

Nicolas : Ça paraît pas. J't'ai cassé !

Maxime : Ha ! ha ! ha ! ha ! OK, je vous laisse.

Maxime entre dans sa chambre et je regarde Nicolas.

Moi : Ton frère… parle en…

Nicolas : Brice de Nice. C'est son idole. Je crois qu'il est viré fou quand il a vu le film. Et depuis que le DVD est sorti, il l'écoute tous les jours. Le pire, c'est que mon meilleur ami, Raphaël, tripe autant que mon frère sur le film. Je ne suis pas autant maniaque qu'eux, mais moi aussi c'est un de mes films préférés. C'est trop drôle ! Toi ?

Moi : J'ai aimé ça. Mais… peut-être pas à ce point-là.

Miss Magazine

CRITIQUE DE FILM

BRICE DE NICE
Un film de : James Huth.
Mettant en vedette : Jean Dujardin, Clovis Cornillac, Élodie Bouchez et Bruno Salomone.
Résumé : Éternel ado vivant aux crochets de son père, un richissime homme d'affaires, Brice se considère comme un pro du surf et attend sa vague… à Nice, où l'eau est d'un calme plat. Mais personne n'oserait se moquer de lui. Brice a la réputation de « casser » les gens grâce à ses réparties assassines. Un jour, le père de Brice perd tout son argent. Pour gagner sa vie, notre « surfeur *winner* » participera à un concours de surf. Réussira-t-il à prouver qu'il est le roi de la glisse ? Le film, inspiré de capsules Internet, est très drôle malgré un scénario un peu boiteux.
Site Web officiel : www.bricedenice.com

16 h

Je ne sais pas trop comment c'est arrivé, mais Nicolas et moi avons commencé à nous embrasser, disons, passionnément. Je crois que j'ai dit : « On joue une autre partie ? » et Nicolas a dit : « OK. » Et à la place de jouer, on s'est embrassés.

16 h 10

Maxime est sorti de sa chambre et il a dit :
— Oh ! 'Scusez-moi pas, je voulais vous déranger. KC !

Moi : Euh… Je pense que je vais vous laisser.

Nicolas : Non, laisse-le faire, il est con.

Maxime : Celui qui le dit, celui qui l'est. Cassé !

16 h 15

Le problème, l'hiver, c'est qu'on ne peut pas sortir en trombe de façon spectaculaire. Il faut mettre nos bottes, notre manteau, notre foulard, nos gants et notre tuque. Pendant que je m'habillais, Nicolas se confondait en excuses pour l'attitude de son frère et j'ai tenté de lui expliquer que ce n'était pas grave, que j'étais seulement en retard pour un rendez-vous avec mon dentiste.

Je suis sortie (enfin) et Nicolas m'a suivie (sans manteau) et je lui ai dit :

– J'ai vraiment passé un bel après-midi. Merci.

Nicolas : Reste encore. Je le sais que mon frère est con, laisse-le faire.

Moi : Ce n'est pas ça. Écoute… mes dents…

J'ai touché ma dent avec ma mitaine et j'ai fait semblant de me tordre de douleur, comme pour prouver mon point.

Nicolas : Tu n'as pas rendez-vous avec ton dentiste un dimanche après-midi !

Moi : J'ai mal à ma dent… (Je la pointe encore) Cshelle-là. Csh'est un rendjez-vous d'urshgence.

Nicolas me regarde, les bras croisés, incrédule. Vu que je trouve qu'il doit avoir froid sans son manteau, j'abdique.

Moi : OK, OK, la vérité, c'est que je me sens mal avec tout ça. Je ne sais pas comment

43

agir avec toi. Je n'ai pas d'expérience là-dedans. Est-ce qu'on s'embrasse chaque fois qu'on se voit? Est-ce qu'on sort ensemble? Je ne sais même pas si j'ai le goût d'avoir un chum! C'est trop de questions pour moi. Alors, je voudrais juste qu'on soit amis, c'est moins compliqué.

Nicolas: Comme tu veux.

20 h

Pendant que ma mère continue à «clavarder», comme elle dit, je flatte Sybil pendant qu'elle joue avec un bonbon qu'elle a trouvé je ne sais pas où. Puis, elle me regarde et dit: «Miuuuu.» Je ne sais pas ce que ça veut dire, car je ne parle pas encore chat, mais je suis certaine qu'elle m'a lancé une réplique assassine, suivie de «j't'ai cassée», parce qu'elle trouvait que je le méritais vraiment.

Lundi 9 janvier

Retour à l'école.

Je ne me souvenais pas que la jupe de mon uniforme scolaire me piquait autant. Mais pas question que je signe la pétition anti-uniforme qui circule depuis la dernière session. J'adooooore mon uniforme! Ça me permet de ne pas me casser la tête quand je me lève le matin. Et les filles qui disent qu'elles ne peuvent exprimer leur personnalité à travers un uniforme manquent totalement d'imagination! (Ou carrément de personnalité…) Mais je ne peux dire ça ouvertement, car Kat a signé et elle ne manque ni d'imagination ni de personnalité. Elle ne veut juste pas être toujours habillée pareil. (La vérité, c'est qu'elle est tannée d'apporter son vrai linge dans son sac d'école déjà trop lourd pour pouvoir se changer après les cours sans retourner chez elle avant d'aller voir Truch.) Quand j'ai revu Kat après un million d'années (deux semaines, pour être plus précise), elle ne parlait que de son chum. J'aimerais dire que mon amie m'a manqué, mais ce serait faux. Mon amie me *manque*, point. Elle n'est plus elle-même et c'est dommage, car, malgré son uniforme scolaire supposément aspirateur d'âme, elle avait vraiment une personnalité que j'adorais avant qu'elle ait un chum.

21 h

J'ai cherché: «Loi contre les filles qui ne s'intéressent seulement qu'à leur chum en dépit de leur meilleure amie» sur Google et ça m'a répondu: «Loi contre les amies qui ne s'intéressent seulement qu'à leur chum en dépit de leur meilleure amie – *did not match any documents.*»

À faire (important): Écrire à Google pour leur dire que leur moteur de recherche n'est pas complet, contrairement à ce que tout le monde prétend.

Mercredi 11 janvier

J'ai reçu mon bulletin. Je passe dans toutes les matières:

• Anglais: 73 % (Je suis nulle là-dedans, de là mes résolutions.)

• Français: 85 % (Je suis la plus poche du groupe enrichi, mais heureusement j'ai pu augmenter ma moyenne grâce à mon poème.)

• Maths: 76 % (Je pense que j'aurais vraiment dû ne pas trop écrire de lettres à Kat pendant le cours, comme me l'ont suggéré Jocelyne, la prof, et Denis Beaulieu, le directeur.)

• Géo: 71 % (J'aurais eu une meilleure note si les questions concernaient le lieu où habite Daniel Radcliffe: Fulham, Londres, Angleterre, Grande-Bretagne.)

• Bio: 79 % (C'est ma matière préférée. Surtout parce que j'adore sœur Rose, la prof. Je ne comprends pas pourquoi je suis incapable de franchir la barre des 80 %, et ce, même s'il est impossible de manquer une information vu que sœur Rose répète tout dix fois. Si je m'améliorais, je pourrais peut-être devenir biologiste! Hum... Bof, on verra. Sans sœur Rose, ça perd tout son sens. Elle est trop tordante!)

• Arts plates: 100 % (Comme tout le monde de la classe, car Louis, le prof, trouve que l'art est subjectif et, tant qu'on y met un effort, on a une bonne note. Moi, je n'ai pas de talent dans cette matière, donc j'y mets des efforts par dépit.)

• Éduc.: 64 % (Je ne sais pas vraiment sur quoi Manon, la prof, se base pour ses notes, surtout qu'elle dit que c'est de participer qui compte, alors j'ai essayé d'améliorer mon enthousiasme, plutôt que ma performance, mais ça ne semble pas avoir porté fruit. D'ailleurs, si j'avais une critique «uniforme» à faire, ce serait sur celui de sport. Les shorts sont trop courts et ça me gêne, donc ça me rend moins efficace côté mouvements.)

Vendredi 13 janvier

Kat capote parce que c'est vendredi 13 et que Truch fait une sortie sans elle, avec ses amis. Je lui ai répondu: «Peut-être que c'est le bon moment pour toi de faire quelque chose avec *tes* amis.» (J'ai bien appuyé sur le *tes*, mais ce que je voulais vraiment dire c'est *ton*, c'est-à-dire, *moi*.) Ce qui est donc une journée malchanceuse pour elle devient ma journée chanceuse parce que ça fait une éternité que Kat et moi n'avons pas passé une soirée ensemble. J'ai convaincu ma mère d'accepter que Kat vienne dormir à la maison. On a installé un matelas gonflable dans ma chambre et on fait une (yahouuuuuu!) soirée-pyjama!!!

20 h

Je vais faire une indigestion de jujubes! J'ai tellement mangé de sucre que je me sens surexcitée. Mais Kat semble avoir le «jujube triste» parce qu'elle est sur le bord des larmes.

Elle a pris Sybil dans ses bras et, alors que ma chatte se débat sans relâche pour se sauver, je lui demande :

– Qu'est-ce qu'il y a ?

Kat : Je m'ennuie de Truch. Ça fait une semaine que je ne l'ai pas vu.

Moi : Ça fait une éternité qu'on s'est pas vues, nous !

Kat : Oui, mais toi, tu vas rester mon amie pour la vie, mais avec un chum, c'est différent. Il peut rencontrer une autre fille plus *hot* que moi et bang, tout sera fini !

Moi : T'es donc bien inquiète ! Et, en passant, si tu ne t'occupes pas de moi, je peux rencontrer une autre amie tripante, moi aussi.

Kat : Tu ne ferais jamais ça, Au ! Hein ?

Moi : Ouain, c'est vrai. Je connais toutes les filles de l'école, et je ne me tiendrais pas avec une autre que toi.

Kat : Penses-tu que Truch a rencontré une autre fille ?

Moi : Mais non ! Tu veux que je te change les idées ? Parce que j'ai un super-gros potin que je ne voulais pas te dire parce que tu ne le méritais pas, mais vu que t'es déprimée, je peux te le dire.

20 h 30

J'ai tout raconté à Kat : le *french*, l'après-midi chez Nicolas, son frère qui tripe sur Brice de Nice et ma volonté de n'être finalement qu'amie avec lui (pas Brice de Nice, Nicolas).

21 h

Kat se répète depuis une demi-heure. En gros, elle dit que je ne devrais pas avoir peur de l'amour, blablabla, que je devrais me laisser aller, blablabla, que l'amour vaut la peine d'être vécu, blablabla, que je m'empêche de vivre des émotions, blablabla. Je lui ai fait remarquer :

– Les gars, c'est des morons. La preuve, c'est bien le frère de Nicolas. Il regarde le même film tous les jours et parle en Brice de Nice. Nicolas est de la même famille, il partage le même sang. LE MÊME SANG !

Kat : T'as bien écouté *La petite sirène* deux cent cinquante fois, toi ! Ha ! ha ! ha ! J't'ai cassée !

Moi : Ah, non ! Commence pas, hein !

Samedi 14 janvier

Kat est partie après le déjeuner. Ça ne me tentait pas trop de faire mes devoirs et, en feuilletant le *Miss*, j'ai trouvé ce test.

Miss Magazine

TEST : ES-TU LÉGUME ?

T'es-tu déjà demandé si tu étais un légume, lequel tu serais ? Quoi ? Tu trouves ça complètement cornichon ? Ne sois pas *vedge* et fais le test !

1. DANS UN PARTY, TU VOIS SUR LA TABLE DU BUFFET UNE CANNETTE DE CRÈME FOUETTÉE SANS SURVEILLANCE. QUE FAIS-TU ?

a) Je la mets illico dans mon sac. De toute façon, il est tard et personne n'en mangeait, quel gaspillage !

b) Pourquoi ils ont mis ça dans le buffet ? Avec tout le sucre que ça contient, c'est dangereux pour la santé de TOUT LE MONDE !

c) J'en mange à même la cannette pour noyer mon chagrin.

2. TU VIS DANS UNE FERME ET, PAR UN BEAU MATIN, TU RÉALISES QU'ON T'A VOLÉ TES CAROTTES. COMMENT RÉAGIS-TU ?

a) J'en plante d'autres !

b) Des carottes ? Oh ! Pouah !

c) Oh ! Noooooon ! Ils n'ont tout de même pas volé Carrie ? Oh ! Carriiiiiie !

3. TU SURPRENDS TON CHUM EN TRAIN D'EMBRASSER LA PLUS BELLE FILLE DE L'ÉCOLE. QUE FAIS-TU ?

a) Je n'ai pas de chum !

b) Il ne ferait jamais ça ! Pfff !

c) Voilà à quoi servait la cannette de crème fouettée !

4. TU TROUVES 20 $ DANS LA RUE. QUE FAIS-TU ?

a) Tu emmènes ta meilleure amie voir un film.

b) Tu le laisses là, car le billet pourrait être porteur de bactéries.

c) Pouvez-vous répéter la question, je pensais à ma pauvre Carrie… Snif.

5. TA MEILLEURE AMIE S'ACHÈTE LE MÊME CHANDAIL QUE TOI. ÇA TE DÉRANGE ?

a) On est jumelles !

b) Je fais faire tous mes vêtements sur mesure.

c) Copieuse !

6. LA ZAPETTE EST LÀ-BAS, ALORS QUE TU ES BIEN CONFORTABLEMENT ASSISE SUR LE DIVAN. QUE FAIS-TU ?

a) Je vais chercher la zapette !

b) Je crie : « Papaaaaaaaaaaaa ! »

c) S'il faut vraiment que je change de canal, je vais essayer d'utiliser la Force et/ou toute autre forme de pouvoir paranormal.

7. TA MÈRE FAIT LE MÉNAGE DE TA CHAMBRE PENDANT TON ABSENCE. COMMENT RÉAGIS-TU ?

a) *Yes* ! Pas de ménage à faire !

b) Où était notre femme de ménage ?

c) Je prie pour qu'elle n'ait pas trouvé mon journal !

8. DÉCRIS-TOI !

a) Tu as les cheveux couleur carotte.

b) Tu es une grande asperge.

c) La question t'a intimidée et tu es devenue rouge comme une tomate.

9. ET TON CHUM ?

a) J'ai dit que je n'avais pas de chum ! Les gars, quelle gang de piments !

b) Un navet ! Je casse !

c) Un vrai chou !

10. QUE DIRAIS-TU À UN AMI QUI TE CONFIE QU'IL A MOUILLÉ SON LIT JUSQU'À L'ÂGE DE QUINZE ANS ?

51

a) « Lâche pas la patate ! »
b) « HAHAHAHAHAHAHA ! »
c) « Ce n'est pas mes oignons ! »

✱ UNE MAJORITÉ DE A
LE BROCOLI
FILLE DE PARTY !

Il n'y a pas à dire, tu as de la broue dans le toupet ! Tu es une fille d'action. Tu n'es pas une fille de première impression, mais une fois qu'on te donne ta chance, on t'adopte pour la vie. Non seulement on t'adore, mais on ne peut se passer de toi ! Mais attention ! À trop frayer avec le gratin, tu risques de t'étourdir un peu trop et d'en oublier les choses importantes de la vie.

UNE MAJORITÉ DE B
LA PATATE DOUCE
LÉGÈREMENT PRINCESSE

Excusez-nous, pardon ! On ne savait pas qu'une princesse lisait notre magazine ! Tu es une personne très raffinée qui désire le meilleur dans tout ! Impossible de te voir avec des gens que tu ne juges pas dignes de ta classe sociale. Tu es sélective, et cette façon que tu as de choisir tes amis et tes activités te permet d'être toujours satisfaite. Mais attention ! À devenir trop snobinette, les autres pourraient finir par te bouder et tu ne serais plus dans ton assiette ! Après tout, n'oublie jamais que tu n'es qu'une simple patate…

✳ UNE MAJORITÉ DE C
L'OIGNON
GRANDE ÉMOTIVE

Que d'émotions ! Même si tu arrives à camoufler ce que tu ressens sous une carapace, il est impossible de ne pas réaliser à quel point tu es une personne sensible. Un vrai cœur d'artichaut ! Essaie de vivre un peu plus tes émotions, sinon tu deviendras amère et il faudra constamment te prendre avec des pincettes ! Ouvre ton cœur et accepte d'être traitée aux petits oignons. Tu seras beaucoup mieux dans ta peau !

✳ ÉGALITÉ ENTRE DEUX
LA CITROUILLE
TOUTE MÉLANGÉE !

Les gens qui te connaissent mal pourraient penser que tu es un peu maladroite, mystérieuse et indécise (la preuve, tu n'es même pas capable de trancher entre les options d'un test !). Tu es une incomprise ! Quand on apprend à te connaître, on sait à quel point tu peux être attachante et rigolote ! Essaie de prendre davantage les choses avec un grain de sel et n'aie pas peur de faire un faux pas. Dans la vie de tous les jours, personne ne se transforme en citrouille !

Conclusion : Je suis un brocoli, un oignon *et* une citrouille.

Conclusion nº 2 (plus précise) : Je ne suis pas un légume en particulier, je suis légume tout court.

Mercredi 18 janvier

Le problème, avec Kat, c'est qu'elle ne semble pas du tout se rendre compte de l'étrangeté de Truch. Ni de sa snobinardise ! J'irais même jusqu'à dire qu'elle aussi est en train de devenir snob. Aujourd'hui, avant le cours de maths, elle m'a lancé que Simple Plan n'était qu'un ersatz de Green Day. Je sais que ça ne vient pas d'elle parce que 1) c'est la fan numéro un de Simple Plan (j'en ai pour preuves de nombreuses photos d'un spectacle auquel nous avons assisté ensemble, sur lesquelles elle a le mot « Simple » écrit sur son front et « Plan » écrit sur son menton EN ROUGE VIF !) et 2) je suis certaine qu'elle ne sait pas ce que veux dire le mot « ersatz ». J'en suis convaincue parce que je suis censée être meilleure qu'elle en français et que je ne savais même pas ce que ça voulait dire avant de le trouver dans le dictionnaire (recherche difficile qui a requis plusieurs essais : herzats, erzats, hairstaz, etc.).

Pour paraphraser Simple Plan dans la chanson *Perfect World*, dans un monde parfait, ce genre de chose n'arriverait jamais !

16 h 31

Qui, je le demande, qui?????? Qui voudrait s'amouracher d'un gars – ayant un frère qui parle en Brice de Nice ou autres – si cela vous oblige à renier la personne que vous êtes réellement, soit une fan de Simple Plan ? Pas moi, en tout cas. (Pas dans le sens où je ne suis pas une fan de Simple Plan, mais dans le sens où je ne suis pas quelqu'un qui voudrait d'une relation qui m'obligerait à renier que je le suis. En tout cas, je me comprends.)

Vendredi 20 janvier

Ce soir, ma mère a un rendez-vous. (Inquiète.)

Kat sort avec Truch. (Rejet.)

Il n'y a pas que les gens qui ont des chums qui peuvent avoir du fun le vendredi soir. La preuve, c'est que j'ai une multitude de choses à faire! J'avais comme résolution d'avoir de meilleures notes et ce n'est pas en faisant le party qu'on y arrive. C'est avec un travail assi-du. C'est pourquoi ce soir, je plonge tête première dans mes études (et ça ne veut pas dire que je vais me cogner en m'endormant dans un de mes livres). Je vais tellement apprendre de notions importantes que je pourrais devenir une scientifique mondialement reconnue, du genre qui fait de grandes découvertes et qui gagne des prix.

20 h 14

Je sais maintenant comment diviser un polynôme par un monôme. (Facile.)

20 h 25

Eh bien! Le système urinaire participe à l'homéostasie… (La bio, c'est fascinant.)

20 h 26

Je m'en fous de l'homéostasie! Non, mais c'est vendredi soir, quand même! Je ne veux pas gagner de prix! Je veux faire quelque chose d'intéressant!

20 h 31

J'ai dit à Nicolas que je voulais qu'on soit amis. Des amis, ça s'appelle. Normalement, en tout cas. Et vu que c'est moi qui semble avoir établi les règles de notre relation, ça devrait être moi qui l'appelle. Mais il est peut-être trop tard pour l'appeler, j'aurais l'air de le prendre comme bouche-trou. Non? Oui. Totalement. Mais je n'ai pas dit quelle catégorie d'amis je voulais qu'on soit, et il a dit «comme tu veux», alors il ne sait pas, lui, ce que je veux vraiment et il a accepté sans s'informer, donc ça veut dire qu'il se fout de la catégorie d'amis dans laquelle je veux le placer.

20 h 35

Je me demande pourquoi je suis si poche en maths. Je me donne moi-même mal à la tête avec des problèmes très compliqués à résoudre.

21 h

Quand on s'est embrassés pour la première fois, Nicolas m'a dit que j'étais «spéciale» pour lui, et ce, malgré toutes les niaiseries que je peux faire quand je suis en sa présence. Alors, ce n'est pas parce qu'il est un gars, tout comme Truch, qu'il ne m'aimerait pas telle que je suis. Comme amie, je veux dire.

21 h 31

J'allais appeler Nicolas lorsque ma mère est rentrée. Je lui ai demandé comment s'était passée sa soirée, et elle m'a répondu : « Les gars sont morons ! »

Enfin quelqu'un qui fait preuve de jugement !

Samedi 21 janvier

Liste des gars qui ne sont pas morons :
• Mon père.
• Louis, mon prof d'arts plates (il est quand même cool).
• Le père de Kat.
• Denis Beaulieu (mon directeur, surtout depuis que je sais que ma mère ne tripe pas sur lui...).
• Tous les membres de Simple Plan (quoique je ne les connaisse pas *personnellement*, seulement par leur œuvre, et ça donne beaucoup de points).
• Daniel Radcliffe (*idem*).

10 h 14

Sybil me lance un regard édifiant. J'ai l'impression qu'elle lit dans mes pensées et qu'elle m'envoie des messages télépathiques pour me dire que si Nicolas n'avait pas existé, nous ne serions pas ensemble elle et moi aujourd'hui. C'est vrai que Nicolas a toujours été gentil avec moi, je serais *twit* de ne pas le mettre sur la liste. Mais, d'un autre côté, ça ne veut pas dire qu'il ne sera jamais moron. Et si un jour il devient moron, j'aurai de la peine. Il me semble qu'il est tout à fait logique d'éviter de se mettre dans des situations où on pourrait éventuellement ressentir de la tristesse. Ça me semble tout à fait normal.

Midi

Parlant de situations où on pourrait éventuellement ressentir de la tristesse... Ça fait six ans aujourd'hui que mon père est décédé. C'est la première fois que je remarque à quel point il est facile de contrôler les battements de son cœur. Quand j'ai pensé à mon père, j'ai senti mon cœur grossir dans ma poitrine ; alors, j'ai respiré très lentement et il est redevenu normal.

13 h

Ma mère n'a pas ouvert son ordi de la journée. Elle fait peut-être relâche de « clavardage » en la mémoire de mon père. Habituellement, avec ma mère, on ne se parle pas beaucoup cette journée-là. Elle se réveille tristounette le matin et me dit : « C'est aujourd'hui... » Et moi, je réponds : « Je sais... » Et c'est tout. Mais cette fois-ci, c'est différent. Elle m'a proposé qu'on fasse un souper spécial et qu'on se remémore tous nos bons souvenirs avec mon père. Cool (?).

18 h 10

J'en étais à mon douzième souvenir lorsque je me suis rappelé la fois où nous sommes allés à La Ronde et que mon père voulait gagner un toutou pour moi. Il a réussi du premier coup. Mais je ne voulais pas du petit serpent rouge et jaune fluo que la fille à casquette me tendait (je le trouvais affreux). Je voulais un Bugs Bunny. Mon père a recommencé à jouer jusqu'à ce qu'il gagne. Je me souviens avoir vu la détermination dans ses yeux. En me remémorant cet événement, mon cœur recommence à grossir. Une chance que je sais comment le contrôler maintenant.

19 h

Je suis allée dans ma chambre rapidement après le souper. Sybil m'a suivie. J'ai pris le Bugs Bunny dans mes bras. Un Bugs Bunny vraiment laid, ceux dont on sent les petites boules en styromousse dedans. Ma mère est venue nous rejoindre.

Ma mère : Ça va, ma belle ?

Moi : Oui…

Ma mère a commencé à me flatter les cheveux et je me suis tassée.

Ma mère : C'est correct si tu as de la peine.

Elle s'acharne à me flatter les cheveux alors je la laisse faire.

Moi : Je n'ai pas de peine.

Ma mère : Avant, c'était toi qui me consolais. C'est à mon tour maintenant.

Moi : T'es fine, m'man, mais je suis correcte. Je pense que je suis juste fatiguée. À l'école, on a beaucoup de travail et…

Ma mère pointe le Bugs Bunny et me dit :

– Tu sais, tu étais sa princesse. Il voulait toujours te faire plaisir. Même que, je ne devrais pas te dire ça, mais… On se chicanait des fois parce que je trouvais qu'il te gâtait trop.

Le cou de ma mère est devenu rouge, son œil gauche humide et elle a pincé les lèvres.

Moi : Qui, ça ? Bugs Bunny ?

Elle a ri.

Ma mère : Oui, Bugs Bunny !

J'ai souri à mon tour.

Elle a ébouriffé le poil sur le dessus de la tête de Sybil et s'est dirigée vers la sortie. Avant qu'elle sorte, j'ai dit :

– Hé, maman ?

Ma mère (en se retournant) : Oui ?

Moi : Merci pour le souper, c'était une bonne idée.

19 h 35

Mon père voulait me faire plaisir et moi, je ne voulais que Bugs Bunny. Je suis une personne horrible et je devrais mettre mon nom sur ma liste de morons.

21 h 12

Sybil est venue se coucher dans mon cou et elle a commencé à ronronner. Je crois qu'elle me comprend.

Dimanche 22 janvier

Méga-tempête.

Je n'ai pas appelé Nicolas. Je crois que les lignes téléphoniques étaient défectueuses. (Totalement faux ! On n'est pas dans les années cinquante, quand même!) De toute façon, sortir par ce temps aurait été complètement inconscient. Ma mère a même dit : « Ce n'est pas un temps à mettre un chien dehors. » Alors, moi non plus, j'imagine !

Lundi 23 janvier

L'école était fermée à cause de la grosse tempête d'hier. Kat a passé la journée à se construire un igloo avec Truch. Elle m'a invitée, mais juste le fait d'imaginer Truch nous expliquant les propriétés isolantes de la neige m'épuisait. J'ai donc joué à *Mario Kart* toute la journée. Sybil n'arrêtait pas de jouer avec les fils de ma manette, ce que j'ai trouvé très drôle et qui m'a fait rater quelques courses. Ma mère est revenue tôt de travailler et elle a joué quelques parties avec moi. Je les ai toutes gagnées ! C'est ce qui arrive quand on a les bons bonshommes (et qu'on ne se laisse pas déconcentrer par son chat… ou un beau gars) !

20 h 18

Je n'ai pas appelé Nicolas. Suis-je un igloo émotif ? Sybil m'a regardée et m'a fait : « Miuuuu », ce qui me semble assez éloquent.

Mardi 24 janvier

Toute la journée, chaque fois que Kat me parlait de son « igloo », construit avec Truch, il me venait une comptine dans la tête : « Igloo, igloo, igloo, igloo. » J'ai fredonné ça toute la journée, compulsivement.

18 h 36

Pendant que je faisais la vaisselle, je fredonnais toujours « Igloo, igloo, igloo, igloo », sans trop m'en rendre compte, vu que c'est devenu une seconde nature pour moi, semble-t-il, de fredonner ça. Le pire, c'est que je me donne à fond et que j'y rajoute même des sonorités parfois rock, parfois techno.

Ma mère finit par me demander :

– Coudonc, Aurélie ! Qu'est-ce qui se passe ?

Moi : Rien, pourquoi ?

Ma mère : Tu n'as pas commencé à boire, quand même ?

Moi : Mais non, voyons, pourquoi ?

Ma mère : Tu n'arrêtes pas de chanter « igloo, igloo » ! C'est une chanson de beuverie ! (Elle s'approche de moi, met ses mains sur mes épaules et commence à me secouer vivement.) Je t'avertis, si je te prends à faire des concours de calage, tu ne sortiras plus jamais d'ici ! PLUS JAMAIS ! Il y a des jeunes qui en meurent ! QUI EN MEURENT, AURÉLIE !

Moi : Wooooo ! Relaxe ! (Je lui retire les mains de mes épaules.) Je ne me suis pas saoulée. C'est juste que Kat n'arrêtait pas de me parler de son igloo aujourd'hui et le fait de ne pas arrêter de penser au mot igloo m'a mis cette chanson dans la tête.

Ma mère: Ah. Oh, fiou! Je suis contente! (Elle me serre dans ses bras.) J'ai eu peur, là!

Moi (en me dégageant): Et puis, t'aurais de la difficulté à me retenir ici plus que je ne le suis déjà. Tu n'as pas remarqué que je n'ai aucune vie sociale depuis que Kat a un chum?

Ma mère: C'est normal. C'est son premier amour. Elle va redescendre sur terre bientôt, tu vas voir.

Ah oui? Et elle est où en ce moment? Sur la planète des singes? Où il n'y a aucune place pour les meilleures amies?

18 h 41

Hahahaha! La planète des singes! Parfait pour Truch.

18 h 42

Driiiiiiiiiiiiiiiiiiiiiiing!

Ma mère répond. Elle discute un peu avec la personne et elle parle de Sybil. J'ai l'impression qu'elle parle à une de ses amies ou à ma tante Louise lorsqu'elle me tend le téléphone en me disant que c'est pour moi. Je prends le combiné.

Moi: Oui, allô?

18 h 45

C'était Nicolas. Il voulait savoir si ça me tentait de faire quelque chose «en amis» demain après l'école. Il m'a proposé qu'on aille à l'arcade. J'ai dit oui.

Hihihihihihi!

Mercredi 25 janvier

Kat n'était pas à l'école aujourd'hui. Elle a peut-être attrapé la grippe après sa journée «igloo». Propriétés isolantes de la neige, mon œil!

15 h 01

Même si j'ai rendez-vous avec Nicolas après l'école, ça ne m'a pas empêchée d'être hyper-concentrée dans mes cours toute la journée. Après tout, c'est une rencontre «d'amis», bien ordinaire. Si Kat et moi nous donnions rendez-vous à l'arcade, je ne serais pas tout emballée. Bien, peut-être que oui, ces temps-ci, vu que je ne la vois qu'à l'école (quand elle n'est pas absente) et que ça me ferait triper de faire quelque chose avec elle, mais ça ne me déconcentrerait pas à l'école.

La vérité: OK, la vérité, c'est que j'ai été un tout petit peu déconcentrée et que je regardais l'heure toutes les deux minutes. Je n'en reviens pas à quel point c'est long une minute! Parfois, je me donnais le défi de ne pas regarder l'heure pendant au moins cinq minutes, et alors que je me disais que ça devait bien faire au moins dix minutes et que j'avais largement atteint mon objectif, je regardais l'horloge et il n'y avait que trente secondes de passées.

16 h 10

Nouille! J'ai oublié d'apporter des vêtements de rechange et je n'ai pas le temps de retourner chez moi. Je vais être obligée d'aller à l'arcade en uniforme scolaire!

16 h 15

Nicolas : Il est beau ton costume.
Moi : C'est un uniforme.
Nicolas : J't'ai cassée!
Moi : Ah.
Nicolas : C'est une *joke*!
Moi : Ha. Ha. Est bonne.

17 h 10

Nicolas et moi avons *vraiment* tripé! Je l'ai battu au basket-ball! (Je ne le lui ai pas dit, mais un des ballons de ma section était un peu dégonflé et ça me permettait de le rentrer plus facilement dans le panier! Hihi!) On a même fait un tour dans le simulateur de montagnes russes! C'était vraiment trop cool (romantique)!

17 h 15

Avant de rentrer, Nicolas m'a proposé de me reconduire chez moi vu qu'il fait noir (trop *cute*).

17 h 30

Je suis encore en train d'embrasser Nicolas. Je ne sais pas pourquoi, mais ça arrive toujours un peu malgré ma volonté. Je ne sais pas si c'est son haleine de gomme au melon ou sa bonne odeur d'assouplissant qui m'attire comme ça, mais on dirait que je ne peux pas me contrôler. D'ailleurs, je ne sais pas où il met sa gomme quand on s'embrasse, parce que même si, par définition, un *french* est un tournicoti de langues, je n'ai jamais touché à sa gomme (ce qui, à mon avis, serait franchement dégueu).

17 h 35

Nicolas : On est toujours amis ?

Moi : Euh…

Nicolas : Je te niaise !

Moi : Ah.

Nicolas : Je me disais que cette fois-ci, ce serait le fun qu'on sorte ensemble avant que tu casses.

Moi : Ah, OK.

Note à moi-même : Une chance qu'il n'a pas dit : « J't'ai cassée. » Dans ce moment particulier, j'aurais trouvé ça semi.

Note à moi-même n° 2 : J'ai dit : « OK. » Je me demande si ça veut dire qu'on sort ensemble…

18 h 17

Moi (en déposant les assiettes dans le lave-vaisselle) : Et tu casses ! Et tu casses ! Et tu casses !

Ma mère : Tu as encore des comptines dans la tête ?

Moi : Non, c'est Brice de Nice.

Ma mère : Ah, bon. Connais pas.

Moi : C'est un film.

Ma mère : Tu me sembles un peu bizarre ces temps-ci. Y a-t-il quelque chose dont tu aimerais me parler ?

Moi : Hum… Non. Je suis normale.

20 h 50

J'ai un chum. Hi-hou-hou-hi-hi-hou-hi.

Jeudi 26 janvier

Je voulais annoncer à Kat que je faisais maintenant partie de sa gang (sans lui dire pour la planète des singes), mais elle était toujours absente ce matin.

Midi

Toujours pas de nouvelles de Kat.

16 h 12

Comme j'étais inquiète, j'ai appelé Kat tout de suite en arrivant chez moi. C'est sa mère qui a répondu.

Madame Demers : Oui, bonsoir ?

Moi : Allô, madame Demers, c'est Aurélie, est-ce que Kat est là ?

Madame Demers : Oui… Mais Kat est très malade…

Moi : Hein ? Qu'est-ce qu'elle a ?

Madame Demers : Je ne sais pas… Peut-être une grippe. Elle ne veut rien manger.

Moi : Même pas des Nibs ?

Madame Demers : Elle est trop malade pour ça.

Ouuuh ! Ç'a l'air sérieux.

20 h

J'ai parlé une heure au téléphone avec Nicolas. Je sais plein de choses sur lui, maintenant. Il a commencé à travailler à l'animalerie pour aider son oncle, le frère de sa mère, et parce qu'il aime les animaux. Il aime ça parce que ça lui fait de l'argent de poche (pas les animaux, son travail) et que son oncle le laisse décider de son horaire. Ses parents sont divorcés, mais ils habitent près et sont en bons termes. Il est bon à l'école. Il voudrait devenir vétérinaire. Il a une grosse passion pour le skate mais ne pratique pas assez souvent et… il me trouve belle! (Hihihihihihihihihi!) Je lui ai aussi dit plein de trucs sur moi (sauf les choses qui pourraient compromettre son jugement à mon égard, style que j'ai participé à un test qui m'a appris que j'étais trois légumes). Quand je lui ai dit pour mon père, il a eu l'air de se sentir mal. Il a dit: «Désolé…» Et il y a eu un moment de silence qui a été brisé lorsqu'il m'a demandé: «Pour qui tu penses qu'il aurait voté à *Star Académie*?» Ça m'a fait rire.

Vendredi 27 janvier

Je suis malaaaaaaaaade! Du moins, c'est ce que j'ai fait croire à ma mère pour ne pas être obligée d'aller à l'école pour pouvoir aller voir Kat.

8 h 50

Une fois que ma mère a quitté la maison, je me suis habillée, j'ai attrapé un sac de Nibs et je suis sortie. On gèle aujourd'hui, c'est l'enfer !

9 h 02

Je regarde par la fenêtre de chez Kat pour m'assurer qu'il n'y a personne. La voie est libre. Je sonne.

9 h 03

Pas de réponse.

9 h 04

Je lance des mottes de neige dans la fenêtre de Kat. Je la vois soudainement apparaître. J'ai presque eu peur, on dirait la fille dans *The Ring*. (OK, j'exagère juste un petit peu.)

9 h 05

Elle m'ouvre. Elle a les cheveux ébouriffés et porte son pyjama rose avec des poussins jaunes. Elle me dit un faible « allô ». Et retourne dans sa chambre sans parler. Je la suis.

9 h 10

Moi : Qu'est-ce qu'il y a, Kat ?
Kat : Je suis malade.
Moi : T'as la grippe ?
Kat : Non.
Moi : Une pneumonie ?
Kat : Non.
Moi : Une mononucléose ?
Kat : Non.
Elle se met à pleurer en se tortillant sur son lit.

Kat n'arrête pas de pleurer.

Moi : Préfères-tu que je m'en aille ?

Kat : Non, reste.

Moi : Fais juste me dire si ta maladie est contagieuse.

Kat : Ç'a l'air que non, ça fait des mois que je l'ai et tu ne l'as pas attrapée.

Moi : Pauvre toi… T'as… une maladie… grave ?

Kat : Si je te dis ce que j'ai… promets-moi que tu ne le diras à personne.

Moi : Kat, j'ai fait semblant d'être malade seulement pour venir te voir, tu crois vraiment que je serais du genre à te trahir ?

Kat : T'as fait ça pour moi ?

Moi : Oui !

Kat : T'es ma meilleure, meilleure amie ! Et moi, je suis… POOOOOOCHE !

Moi : Qu'est-ce qu'il y a ?

Kat : C'est Truch… il… il m'a, il m'a… il m'a…

Moi : Qu'est-ce qu'il t'a fait ?

Kat : Il m'a… laissée.

Elle s'est retournée en boule sur son lit et elle a recommencé à sangloter. J'ai remarqué qu'elle tenait dans ses mains le petit ourson avec un t-shirt « I cœur you » que Truch lui a donné il y a quelques semaines. J'ai sorti les Nibs de mon sac et je les lui ai tendus. Elle a commencé à les manger les uns après les autres en me racontant ce que Truch lui avait dit. Il lui a dit qu'à leur âge, ils ne pouvaient pas avoir de relation sérieuse, etc., etc. Leur relation lui demandait trop de temps, etc., etc.

Je peux très bien imaginer Truch rompre avec Kat. Fidèle à ses habitudes, il a sûrement parlé, parlé, parlé…

9 h 25

Kat: Le pire, c'est que c'est *lui* qui voulait qu'on soit tout le temps ensemble!

Moi: T'es sûre? T'étais pas mal accro, toi aussi…

Kat: Oh, t'as raison! J'ai été tellement *twit*! Je ne t'ai même pas appelée pendant le temps des fêtes. Et aujourd'hui, t'es là. C'est toi qui as raison, Au! Tous les gars sont des morons! Tous! Même mon père!

Moi: Ton père est cool!

Kat: Et tu sais c'est quoi le pire du pire du pire?

Moi: Par rapport à ton père?

Kat: Non, à Truch. Il dit qu'il pensait à me laisser depuis longtemps. Mais il ne l'a pas fait parce que… c'était Noël-ël-ëëëëëëëëëëëëëël!

Elle a recommencé à pleurer de plus belle.

10 h 02

Kat s'est un peu calmée. Elle a maintenant de la rage dans ses yeux.

Kat: C'est toi qui avais raison! Je vais devenir comme toi! Je ne veux pas de chum! Biiiieurk! Hé, Au! (Elle se mouche) J'ai une idée!

Moi: Quoi?

Kat: On devrait se faire un chum juste quand on sera en cinquième secondaire et le *domper* après notre bal!

Moi: Tu penses?

71

Kat : Oh, mon Dieu ! Je parlais de l'amour…
Tu devais me trouver teeeellement quétaine !

Moi : Ben… un peu…

Kat : C'est toi qui avais raison… Les gars
sont morons.

Moi : Pas *tous* les gars. Et des fois, les filles,
on ne donne pas notre place non plus…

Kat : Maintenant, on fait ce que t'as toujours
dit ! On ne se fait pas de chum, OK ?

Moi : Euh… ouain… je disais ça, mais…
dans ce temps-là…

Kat mangeait ses Nibs. Sa tristesse semblait
avoir laissé place à la rage.

Moi : Ce n'est pas un peu… drastique ?

Kat : Non ! L'amour fait faire des niaiseries !
Dire que j'ai renié Simple Plan ! Tu te rends
compte ? Moi ! Katryne Demers ! J'ai renié
Simple Plan !

Moi : Ouain, j'avoue.

Kat : Tu sais ce que ça fait, l'amour ? Ça fait
mal. Mal ! Alors, c'est fini ! À. Tout. Jamais. OK ?

Kat continuait de manger des Nibs et ne
pleurait plus. Elle me regardait et ses yeux im-
plorants scintillaient (elle ressemblait presque
à un personnage de manga).

Moi : Euh… ben… OK.

Février

Virer sur le top

la gomme
au melon!
huuummm
la préférée de Nicolas!

Titilititiiiiii!
Nicolas

je le déteste!
le déteste!
je le déteste!
le déteste!
je le déteste!

TROP
COOL!

St-Valentin

MOI + NICOLAS!

250

Mercredi 1er février

Définitions du *Nouveau Petit Robert* :
   Ami : n. et adj. -x ; lat. *amicus, amica.* **1.**
Personne liée d'amitié avec (une autre
personne), ou qui est l'objet de l'amitié de
quelqu'un. *Fam.* copain, pote. **2.** Personne
qui est bien disposée, a de la sympathie
envers une autre ou une collectivité. **3.** *Faux-
ami.* Mot qui, dans une langue étrangère,
présente une similitude trompeuse avec un
mot d'une autre langue (ex. actually [« effectivement, en anglais »] et actuellement).
   CONT. Ennemi, hostile.

   Bon, il n'y a rien là-dedans qui dit qu'on ne
peut pas sortir avec un gars sans le dire à sa
meilleure amie. Si ce n'est pas dans la définition,
c'est que ça doit être accepté mondialement.
Sinon, ce serait clairement indiqué que c'est une
règle de base. Mais là, rien n'en fait mention, alors
techniquement je ne brise aucune règle. J'avoue
que j'ai eu un petit pincement quand j'ai vu la
définition numéro trois, « faux-ami », mais c'est
un *mot* qui présente une similitude avec une autre
langue, ce n'est clairement pas une *fille* qui garde
quelque chose dans son, disons, jardin secret. Si
Kat ne se rend pas compte que je sors avec Nicolas,

tout va bien aller et ça ne veut pas dire que je ne suis pas une bonne amie pour autant.

Fiou ! Une chance que j'ai cherché !

Vendredi 3 février

Cours de maths.

Kat m'envoie une lettre dans laquelle elle a dessiné Truch avec une tête de mort. Et elle a fait des flèches partout autour pour indiquer que c'était Truch, pour que je le comprenne bien (j'avoue que ç'aurait été difficile autrement, elle est pourrie en dessin). Et elle a écrit : « Je le déteste ! » au moins vingt-cinq fois. Au moment où je range discrètement la feuille dans mon sac, je regarde Kat et je vois une larme tomber dans son manuel de maths au même moment où Jocelyne dit : « Il est moins vingt-cinq, sortez vos cahiers… » Je lève la main en la secouant pour être certaine de me faire remarquer. Jocelyne s'arrête.

Jocelyne : Oui, Aurélie ?

Moi : Je me demandais quelque chose…

Jocelyne : Oui.

Moi : Pourquoi on dit « moins vingt-cinq » quand on dit l'heure ?

Jocelyne : Quoi ?

Moi : Je me demandais pourquoi on ne dit pas l'heure qu'il est plutôt que de dire l'heure qu'il n'est pas encore ?

Moins vingt-cinq

Denis Beaulieu : Aurélie Laflamme, ça faisait longtemps que je ne t'avais pas vue dans mon bureau.

Moi (au bord des larmes) : Je croyais… vraiment… que…

Denis Beaulieu : Qu'est-ce qui s'est passé ?

Je prends sur moi pour arrêter d'avoir envie de pleurer, comme chaque fois que je me retrouve chez le directeur.

Moi : C'est que… ça fait longtemps que je me demande pourquoi certaines personnes ne disent pas l'heure qu'il est vraiment. Par exemple, pourquoi on dit qu'il est « moins le quart » ou « moins cinq » à la place de dire : « Il est 9 h 55. » Me semble que c'est moins compliqué.

Denis Beaulieu : L'heure… ce n'est pas quelque chose qu'on apprend au primaire, ça, Aurélie ?

Moi : Oui, mais quand j'étais au primaire, j'apprenais des choses et je ne me posais pas de questions comme ça. Maintenant, je sais plus de choses, donc je me pose plus de questions.

Denis Beaulieu : Hum… Je comprends. Tu n'as peut-être pas choisi ton moment.

Moi : Jocelyne a dit qu'il était « moins vingt-cinq » et on était dans le cours de maths. Comme il faut faire un calcul pour savoir l'heure qu'il est vraiment, j'ai pensé « calcul = maths », alors je me suis dit que c'était le bon moment.

Denis Beaulieu : Je comprends. Tu n'as pas dit ça pour déranger la classe, alors, hein ?

Moi : Ben… non.

Denis Beaulieu : Tu es sûre ?

Moi: C'est une question que je me pose *réellement*. En plus, c'est très complexe. On dit: «Moins vingt-cinq, moins le quart et moins cinq» mais on ne dit pas «moins vingt-trois, moins un tiers, moins onze». On dit les chiffres qui sont des multiples de cinq. Me semble que c'est normal de se demander pourquoi… Je suis à l'école pour apprendre, non?

Denis Beaulieu: Aurélie…

Moi: OK, si vous voulez savoir toute la vérité, c'est que je me pose *réellement* la question, mais aussi… Mon amie Kat a vraiment beaucoup de peine ces temps-ci et… je voulais la faire rire. (Une chance que je ne suis pas une espionne internationale. Les secrets de mon pays ne seraient pas vraiment en sécurité avec moi…)

Denis Beaulieu: Je vois. Elle a de la peine pourquoi?

Moi: Parce que… (Hé, wo! C'est assez, la haute trahison!) C'est secret… Elle m'a fait promettre de ne le dire à personne. Et je suis sa meilleure amie! Et une meilleure amie, c'est plus que juste quelqu'un qui se tient avec vous à l'école. C'est sacré! Mais je vous jure que c'est vrai!

Denis Beaulieu: Je te crois. Bon, je vais te dire ce qu'on va faire. Va présenter tes excuses à Jocelyne et je ne te mets pas en retenue. Ça marche?

Moi: OK! Merci, monsieur Beaulieu!

Je reprends mon sac et m'apprête à sortir, mais je me retourne et je lui demande:

– Est-ce que vous le savez, vous, pourquoi on dit «moins vingt-cinq»?

Denis Beaulieu: C'est… une façon de lire l'heure.

Moi: Je le sais, mais ça ne me dit pas pourquoi. Est-ce que ça dérange si, après m'être excusée à Jocelyne, je le lui demande?

Denis Beaulieu: Aurélie!

Moi: OK, OK.

12 h 30

Je suis un peu gênée d'entrer dans la salle des profs. Ils sont toujours en grande conversation avec une tasse de café à la main et, lorsqu'ils regardent vers la porte d'entrée ouverte, ils font souvent semblant de ne pas nous voir. Je cogne sur le cadre de porte et le prof d'histoire de cinquième secondaire que je ne connais pas vient vers moi (je dirais, par dépit, parce qu'aucun autre ne voulait se dévouer).

Moi: Est-ce que Jocelyne est là?

Prof de cinquième secondaire: Oui, un instant.

Une gang de profs se font une blague inaudible et éclatent de rire. Je remarque que Denis Beaulieu est dans un coin et il semble préoccupé. Peut-être que ma question sur l'heure l'a lui aussi intrigué. Je sais que, personnellement, quand je me mets à penser à la logique de la chose, j'en ai pour longtemps à me questionner.

Jocelyne arrive près de la porte d'entrée. Elle sent la cigarette. Je reste dans le cadre de porte et je dis:

– Je m'excuse pour tantôt, mais…

Je vois Denis Beaulieu me regarder, et il fait un petit non avec la tête.

Moi : Je m'excuse.

Denis Beaulieu fait subtilement oui de la tête.

Jocelyne : C'est bien. Mais arrête de me déranger en classe. C'est énervant, à la longue !

Moi : Je vais essayer. Euh… je veux dire, oui. Oui, dans le sens que non, je ne dérangerai plus.

Jocelyne : Va dîner maintenant, il est presque moins le quart !

Je voulais faire « bye » à Denis Beaulieu, mais il était en train de lire quelque chose et j'ai remarqué qu'il souriait.

12 h 47

Kat m'a attendue pour manger.

Kat : Tu m'as tellement fait rire pendant le cours de maths ! J'avais de la morve qui me sortait du nez tellement je m'empêchais de rire pendant que tu étais chez le directeur !

Bon, je ne suis pas une amie si poche que ça. Je lui cache peut-être un petit secret, mais c'est vraiment un *détail*, et j'ai d'autres qualités.

12 h 59

Je suis allée chercher un deuxième gâteau, et je l'ai coupé en deux pour le partager avec Kat. Ben quoi ? Elle m'a attendue pour dîner, ça mérite une récompense. Ce n'est *pas du tout* pour acheter son amitié.

13 h 29

Je m'efforce de ne pas être dans la lune pendant le cours de français. On devrait me mettre en prison. Je suis une amie horrible !

20 h 31

Pendant que ma mère regarde un téléroman, je fais des recherches sur son ordi.

«Pourquoi on dit moins vingt-cinq alors qu'il est trente-cinq quand on dit l'heure – *did not match any documents.*»

Espèce de Google qui ne fonctionne jamais!!!!!!!!!!!!!!!!!!!!!!!!!

Mardi 7 février

En bio, ce matin, sœur Rose a parlé du rôle du cerveau dans la douleur:

– Selon une nouvelle étude, l'attente d'un moment désagréable cause une réelle douleur. Des neurologues ont découvert que ce genre d'attente active les zones du cerveau associées à la douleur. Ils ont soumis des cobayes à des décharges électriques administrées après une attente d'une durée imprévisible. Eh bien, imaginez donc que l'attente était tellement déplaisante que le quart des cobayes ont préféré recevoir immédiatement une décharge supérieure plutôt qu'une moins forte plus tard!

10 h 01

Je sais que Kat sera très fâchée quand elle saura que je sors avec Nicolas sans lui dire. Mais bizarrement, je suis totalement à l'opposé des cobayes de l'étude sur la douleur. Je préfère de loin attendre avant de le lui dire et repousser ce moment douloureux. Ce qui prouve, encore une fois, que je n'ai rien en commun avec la race humaine.

Jeudi 9 février

Je suis allée chez Kat après l'école et j'ai dit à Nicolas que j'irais le voir après le souper. Je mène une double vie (je ne m'en vante pas, c'est juste, disons, un constat).

16 h 24

Kat a parlé à Julyanne de notre pacte de ne sortir avec personne jusqu'à deux semaines avant notre bal. Julyanne, qui copie toujours ce qu'on fait, plus particulièrement ce que *je* fais depuis que je suis allée porter ses bébés hamsters à l'animalerie afin qu'ils se fassent adopter (franchement, il y a au moins mille pop stars qui existent exprès pour être copiées, pourquoi ça tombe sur moi ?), a décidé de se joindre au pacte. Ç'a fait très plaisir à Kat, qui a l'impression de protéger sa sœur « contre les forces du mal ». Ce sont ses mots. Il est vrai qu'avant de rencontrer Nicolas, je trouvais tous les gars morons, mais pas au point de les comparer à Darth Vader, quand même !

16 h 25

Mon Dieu ! J'ai créé un monstre !

19 h

Après le souper, je suis allée retrouver Nicolas au coin de sa rue, comme prévu. On a commencé à s'embrasser et j'avais l'impression que tout tournait autour de moi et j'ai ressenti un frisson dans mon dos. Je ne sais pas si c'est à cause de 1) ma culpabilité envers mon amie, 2) parce que j'ai peur que Nicolas soit un genre de Darth Vader ou 3) parce qu'il fait moins mille dehors.

19 h 17

Nicolas a remarqué que j'avais froid et m'a proposé qu'on rentre. Il est trop top !

Titilititiiiiiiiii !

Explication du «titilititi» ou plus précisément «dérèglement de mon cerveau en présence de Nicolas» : Quand je regarde Nicolas, quand il est gentil avec moi ou simplement quand je pense à lui, mes jambes tremblent et je perds toute notion du vocabulaire français courant et j'ai juste le goût de dire «titilititiiii», ce qui est complètement hors de mon contrôle, car si je pouvais vraiment me contrôler, je penserais à quelque chose de plus consistant que «titilititi». Je me demande d'ailleurs si ce n'est pas un problème de circuits qui se touchent dans mon cerveau, ce qui expliquerait pourquoi j'ai tant de difficulté à comprendre les notions importantes à l'école.

À l'agenda : Tenter de redorer le blason des gars auprès de Kat.

Vendredi 10 février

Jusqu'à maintenant, vivre une relation top secrète n'est pas un problème. Comme Nicolas et moi n'allons pas à la même école, ça facilite les choses. Hier, il a proposé de venir me chercher à l'école pour qu'on fasse quelque chose, mais j'ai prétexté que la semaine était entièrement consacrée à mes études et, donc, à l'expansion très désirée de mes neurones (ce qui, comme expliqué précédemment, est quasi impossible en sa présence). Je me suis dit que s'il me jugeait à cause de ça, c'est qu'il aimait les filles tartes et qu'il me considérait comme telle et que je n'aurais pas envie de sortir avec un gars qui me croit tarte ou qui s'intéresse aux tartes (métaphoriquement parlant, on s'entend, il a le droit d'aimer les vraies tartes, celles qui ne sont pas des filles, mais bien des pâtisseries). Bref, que je pourrais casser et, ainsi, ne plus mentir à Kat. Mais il m'a répondu qu'il comprenait et qu'il me trouvait *hot* de vouloir améliorer mes résultats scolaires. Il a dit qu'il essaierait de s'arranger pour ne travailler que quelques soirs de semaine pour pouvoir passer du temps avec moi la fin de semaine.

J'ai dit :

– Ne change pas toute ta vie pour moi ! On ne va pas commencer à devenir ce genre de personnes qui transforment toute leur vie en fonction d'une nouvelle relation. Continue à faire comme si je n'étais pas là et je m'arrangerai.

Il a dit :

– Mais tu es là ! Et j'ai envie de te voir !

J'ai dit :

– On se verra quand ça adonne.

Midi

Pendant le dîner, Kat mange du rôti de bœuf sans appétit.

Moi : Ça va ?

Kat : Bof…

Moi : Tu pensais à Truch ?

Kat : C'est les fins de semaine qui sont plus difficiles. Habituellement, on se voyait tous les jours.

Moi : Ouain… Je le sais. (Pendant que moi, j'étais toute seule !!!)

Kat : Je déteste les gars ! Les hommes au complet !

Une sœur surveillante passe près de nous et Kat baisse le ton.

Kat : Tu crois qu'elle est devenue sœur parce qu'elle détestait les hommes ?

Moi : Pourquoi ? T'envisages cette option ?

Kat : Ben peut-être ! De toute façon, on est hors sujet. J'ai pris une décision, je veux que mes parents divorcent pour que ma mère, ma sœur et moi vivions seulement toutes les trois ensemble, avec Caprice, notre hamster, vu que c'est aussi une fille.

Moi : Kat… Tu ne trouves pas que t'exagères ? T'es chanceuse que tes parents soient encore ensemble.

Kat : Tous les hommes m'énervent ! Hier, mon père était près de l'évier de la cuisine et il disait : « C'est plate-te-te, c'est plate-te-te ». Là, je lui ai demandé ce qui était plate, t'sais en voulant dire : « Qu'est-ce qui est assez plate pour que tu chantes une espèce de chanson par rapport à ça?» Et tu sais ce qu'il a répondu?

Moi: Non.

Kat: «Je ne trouve pas mon marteau.» Il cherchait son marteau, t'sais!

Moi: Pis?

Kat: Pis il chantait que c'était plate qu'il ne le trouve pas.

Moi: Ouain, pis?

Kat: Mon père *et* Truch *et* tous les hommes du monde sont épais.

Moi: Ton père est super! Je pense que tu devrais te trouver une passion autre que celle de détester les hommes.

Kat: T'as raison… Est-ce qu'on pourrait aller à l'arcade ce soir? J'aimerais ça faire un peu de *Dance Dance Revolution*.

Moi: T'es sûre que tu ne veux pas aller là pour croiser Truch?

Kat: Non. C'est ça, ma passion. Pas Truch. Le *Dance Dance*.

16 h 55

Avant le souper, le téléphone sonne. C'est Nicolas. Il me demande si on peut faire quelque chose ensemble. Le problème, c'est que je vais déjà à l'arcade avec Kat. Alors, je dis:

– J'ai déjà prévu quelque chose avec Kat. On… euh… regarde un film chez moi.

Il me dit:

– Pas de problème, je vais aller à l'arcade avec Raphaël.

Meeeeeeeeeeeerde! Je ne peux pas aller à l'arcade et voir Nicolas et qu'il m'embrasse et qu'il me présente à son ami Raphaël en disant:

«Je te présente ma blonde, Aurélie» devant Kat qui va savoir que j'ai un chum, alors que je lui ai promis d'attendre deux semaines avant notre bal, c'est-à-dire un minimum d'au moins deux ans avant de m'en faire un! Si je vais à l'arcade, Kat saura que j'ai menti et Nicolas saura que j'ai menti et il se demandera pourquoi. Je suis faite!

18 h

J'appelle chez Kat:

– Kat, ça ne me tente pas trop d'aller à l'arcade.

Julyanne: Un instant. KAAAAAAAAAAT!

Oups, je me suis trompée. C'est fou ce qu'elles ont la même voix.

J'ai convaincu Kat que l'arcade était peuplée de spécimens de la gent masculine et que, par conséquent, on ne devrait pas s'y présenter étant donné notre nouvelle résolution de ne pas s'y intéresser (mensonge). Elle m'a trouvée géniale (malaise).

Je l'ai invitée à regarder un film chez moi, profitant du fait que ma mère était sortie avec ma tante Louise. (L'avantage de ma proposition, c'est qu'ainsi je ne mens pas à Nicolas, alors je ne mens qu'à une seule personne: Kat, ma meilleure amie. Aïe.)

18 h 23

Kat a apporté le film *Dreamer: Inspired by a True Story*, mettant en vedette Dakota Fanning. Elle m'a dit qu'elle ne voulait rien savoir d'un film d'amour, ce qui la rendrait encore plus déprimée puisqu'elle n'y croit pas et pense que c'est de la propagande sur un sentiment absolument et totalement surestimé.

Quelques semaines plus tôt, ç'aurait pu être moi qui sorte cette théorie. Mais aujourd'hui, j'ai écouté Kat, j'ai pincé les lèvres et j'ai regardé le plancher sans répliquer.

19 h

Je regarderais bien le film, mais le problème, c'est que Kat appuie sur « pause » toutes les vingt secondes pour parler contre Truch… et contre son père! (Pas le père de Truch, son père à elle.) J'ai eu droit à des plaintes du genre:

« Truch parlait toujours de la même chose. »

« Mon père a mangé des ailes de poulet et il s'est essuyé les doigts sur son jean… Ouach! »

« Truch est un surnom con! »

Etc., etc. Jusqu'à ce que je me fâche et que je dise:

— Kat, on regarde le film, oui ou non?

Kat: OK, si tu y tiens tant que ça.

Moi: C'est toi qui as apporté ce film!

Kat: Oui, mais c'est plate! C'était pour boycotter les films d'amour!

Moi: Ce n'est pas plate! Si tu n'arrêtes pas le film toutes les deux secondes, tu vas plonger dans l'histoire.

Avec toutes les infopubs que je me suis tapée sur Truch, il faut maintenant que je me tape la campagne de salissage. Je me demande si je suis condamnée à entendre parler de lui, en bien ou en mal, jusqu'à la fin de mes jours…

20 h 05

Ma mère rentre. Elle nous demande ce qu'on regarde et s'assoit pour regarder la fin avec nous.

20 h 55

Ma mère, Kat et moi pleurons comme des Madeleine. Quel beau film touchant !

21 h

Kat pleure encore.

21 h 05

Impossible d'arrêter Kat de pleurer.

21 h 10

Ma mère, qui a pris Kat dans ses bras, me regarde, impuissante, en haussant les épaules. Je tente de lui faire un signe comme quoi Kat n'est plus avec son chum.

21 h 15

Kat s'arrête de pleurer. Elle tente de reprendre son souffle et ma mère lui apporte un verre d'eau.

Kat : Plus j'aimais le film, plus je me disais à quel point Truch l'aurait détesté. Il était vraiment snob ! Pourquoi je suis sortie avec lui, hein, pourquoi ? Pourquoi personne ne me disait qu'il était aussi nul ? Pourquoi personne ne m'a avertie que les gars, c'est con ?

Moi : J'ai essayé...

Oups. Je n'aide pas ma cause.

Kat : Au, tu m'as suggéré de trouver ma passion et je l'ai trouvée ! Ma passion, c'est les chevaux !

Moi : Hein ? Depuis quand ?

Kat : Depuis que j'ai vu ce film ! Je veux faire de l'équitation !

Moi : T'as vu ce film il y a deux secondes !

Kat : J'ai eu une illumination !

Samedi 11 février

J'ai dit à Kat que j'allais au cinéma avec ma mère (faux) pour pouvoir passer la journée avec Nicolas.

Ce matin, il m'a appelée pour m'inviter à jouer au Nintendo, mais comme je lui ai parlé de ma résolution de faire plus de sport, que je n'ai pas encore mise en pratique, il m'a suggéré d'aller patiner.

Je dois avouer, Nicolas est pas mal cool. Titilititiiiiiiiii!

13h52

Nicolas et moi nous sommes donné rendez-vous au parc, dans le chalet où on peut mettre nos patins. Je n'ai pas voulu lui donner rendez-vous chez moi parce que je ne veux pas que ma mère, qui commence à poser des questions, sache que j'ai un chum (hihi! j'ai un chum!). Pas que ça la dérangerait, mais elle pourrait se tromper, devant Kat, et causer une explosion nucléaire d'émotions négatives entre ma meilleure amie et moi, ce qui est totalement inutile. Et puis, j'ai envie de garder des choses dans mon, disons, jardin secret. On n'est pas obligé de tout dire à sa mère! Je ne fais rien de mal, après tout! Quand elle pose des questions, je lui réponds simplement: « Ce n'est pas tout le monde qui a besoin d'avoir un chum pour vivre. » Ce que je souhaite qu'elle retienne comme message est: « Toi non plus, tu n'as pas besoin des hommes », donc qu'elle remette en question son désir de se faire un chum et qu'elle arrête de *chatter* sur Internet avec des (peut-être) maniaques !

14 h 15

Ça fait longtemps que je n'ai pas patiné et je n'ai aucune grâce ! Je me fais penser à Bambi (qui est un chevreuil mâle, en passant), dans la scène où il a du mal à retrouver l'équilibre sur un lac gelé. Pas que je me rappelle *chaque* scène de Bambi par cœur, comme si je regardais ce film souvent, mais c'est un souvenir, disons vague, que j'ai, vu que c'est considéré comme une scène marquante de ce classique (ne l'oublions pas !) du cinéma d'animation.

14 h 20

Nicolas rit et me prend la main pour m'aider à tenir en équilibre. Ma résolution de faire plus de sport est bien pensée, parce qu'ainsi je pourrai améliorer mes compétences et peut-être avoir des meilleures notes à l'école dans cette matière. Ma matière la plus faible ! Bizarre puisque c'est la seule qui ne demande pas de compétences cérébrales particulières. Hum…

Oh, je suis certaine que Truch répondrait : « Oui, ça demande des compétences cérébrales puisque le sport permet au cerveau d'émettre de l'endorphine, de la sérotonine, et blablabla… »

Ayoye ! Je me souviens de mes cours de biologie ! C'est fou ! Je veux bien croire que mon cerveau est capable de retenir des notions, d'émettre de la sérotonine, mais je ne comprends pas pourquoi il m'envoie des images de Truch, l'ex-moron, euh, chum de ma meilleure amie !

14 h 20

Nicolas a pris mes deux mains et il patine à reculons. J'ai l'impression que tout, autour de ses yeux, est flou. Il y a la neige blanche, les arbres sans feuilles, et plein d'autres personnes qui patinent, mais dans mon champ de vision, il n'y a que ses yeux.

14 h 21

Oh, merde! Voilà! Voilà tout à fait ce qui me faisait si peur! Je suis virée quétaine!

14 h 23

Nicolas nous dirige vers le bord de la patinoire. Nous sommes l'un en face de l'autre pendant un moment. Et là, comme d'habitude, on s'embrasse. Mes jambes se mettent à trembler, ce qui est très peu commode quand on porte des patins. Alors, je commence à tituber et Nicolas me retient. On est crampés de rire. Puis, il recule un peu, et me regarde.

Lui : Aurélie, je t…

Moi : Oooooooh, meeeeeeeeeeeeerde!

Au loin, derrière lui, j'aperçois Kat qui marche dans le parc et qui se dirige vers l'endroit où je me trouve. Sans réfléchir, je pousse Nicolas dans le banc de neige qui entoure la patinoire en espérant qu'elle ne nous a pas encore vus. Ensuite, je grimpe sur le banc de neige, avec mes patins, et je me mets à courir dans le parc. Si je manquais de grâce sur la patinoire, c'est pire X 1000 sur la neige.

14 h 25

Kat : Au! Qu'est-ce que tu fais là? Tu n'es pas au cinéma?

Moi : Euh… Finalement, ma mère avait… quelque chose. Et je suis venue patiner.

Kat : Toute seule ?

Moi : Oui. J'avais besoin de… bouger.

Je fais un mouvement de style boogie-woogie pour appuyer ce que je dis.

Kat (qui me regarde, perplexe) : Ah.

Moi : Au jour de l'An, j'ai fait des résolutions, et faire du sport en fait partie et je voulais absolument les tenir toutes, cette année.

Kat : Je te comprends.

Moi : Qu'est-ce que tu fais ici ?

Kat : Je me sentais un peu triste et je suis venue prendre une marche dans le parc. Mais maintenant que je te vois, je peux peut-être louer des patins et patiner avec toi.

Je jette un coup d'œil vers la patinoire et je vois Nicolas secouer la neige qu'il a sur lui depuis qu'il a réussi à s'extirper du banc de neige. Je vois qu'il me cherche du regard, alors je prends Kat par le bras et la conduis derrière un arbre, hors de son champ de vision. Peut-être que je n'aurai plus besoin de mentir, parce qu'après ça il ne voudra probablement plus rien savoir de moi.

Moi : Pourquoi on ne fait pas quelque chose d'autre, à la place ?

Kat : Oh ! On loue *Seabiscuit* ! C'est un autre film avec des chevaux, il paraît que c'est super-bon !

Moi : OK.

J'ai vu que Nicolas avait rencontré quelques-uns de ses amis qui sont arrivés pour jouer au hockey au bout de la patinoire. J'ai donc la voie libre pour aller enlever mes patins.

Dimanche 12 février

Je suis une terrible, terrible personne! Il faudrait peut-être que j'appelle Nicolas pour m'expliquer. Il ne doit pas trop comprendre pourquoi je l'ai poussé dans un banc de neige en le laissant là, sans rien dire.

Hier, j'ai passé le reste de la journée avec Kat. On a regardé *Seabiscuit* et ça lui a confirmé sa passion pour les chevaux.

Kat est en peine d'amour. Il aurait été bien égoïste de ma part de ne pas lui venir en aide. Si j'étais en peine d'amour, Kat m'aiderait. Bon, pour ça, il faudrait qu'elle *sache* que j'ai un chum, et que je n'aie pas poussé ledit chum dans un banc de neige et que notre relation se poursuive jusqu'au jour où elle se terminera. Euh... C'est compliqué. Mais bon, c'est évident qu'entre quelqu'un qui a de la peine et un gars de très bonne humeur, le choix est facile : l'amie qui a de la peine, voyons!

D'ailleurs, une des raisons pour lesquelles je ne voulais pas de chum, c'est justement pour ne pas devenir une espèce de personne qui oublie tout de sa vie pour ne se concentrer que sur une seule personne : un gars qu'elle connaît depuis quoi... dix minutes? (Bon, dans le cas de Nicolas et moi, ça remonte à plus longtemps, mais c'est une façon de parler).

10 h 36
Si j'ai fait le bon choix, pourquoi je me sens aussi mal par rapport à Nicolas?

10 h 37

S'il est incapable de comprendre que mon amie a de la peine, il est juste niaiseux!

10 h 38

Le problème, c'est que je ne lui ai pas donné la chance de comprendre.

10 h 45

Je suis une horriiiiiible personne! Horrible! Une menteuse! La pire personne de l'univers. Limite diabolique.

10 h 50

AAAAARRRRRGGGGGGGHHHHH!!!!!!!! C'est insupportable!

11 h 20

Je vais l'appeler. Pour m'excuser. Bon plan.

11 h 25

Sauf que… si je ne le rappelle pas, j'évite plein de problèmes. Comme ceux que Kat vit en ce moment.

11 h 27

Non. Il faut que je l'appelle. J'aurais pu le blesser en le jetant dans le banc de neige. Et je ne voudrais pas avoir des problèmes de conscience toute ma vie à cause de ça.

Je compose le numéro.

Ça sonne.

Monsieur (père de Nicolas): Oui, bonjour?

Moi: Allô, est-ce que je pourrais parler à Nicolas?

Monsieur : Ah ! Salut Aurélie ! Il est chez sa mère présentement, veux-tu le numéro ?

Je suis déçue de voir qu'avec ma simple voix, il est impossible de passer incognito.

11 h 30
Je vais attendre jusqu'à 11 h 31 pour que ça fasse plus nonchalant.

11 h 31
Je compose le numéro. Ça sonne.
Madame (sûrement mère de Nicolas) : Oui ?
Moi : Euh… est-ce que je pourrais parler à… ATCHOUM !
Je raccroche illico. C'est vraiment trop gênant !!!!!! Mon premier contact avec la mère de Nicolas est complètement raté !

11 h 32
Bon, il faut que je rappelle.
Peut-être que ce ne sera pas elle qui va répondre.
Je compose le numéro.
Ça sonne.
Madame (avec un ton expéditif) : Oui !
Moi (timidement) : Euh… Est-ce que je pourrais parler à Nicolas, s'il vous plaît ?
Madame : Quoi ?! Je n'ai rien entendu !
Ouille ! Je ne pourrais pas avoir un accueil plus glacial. J'aurais encore envie de raccrocher (ou, beaucoup moins mature, de commencer à pleurer), mais il faudrait que je fasse une autre tentative téléphonique pour m'excuser et ce serait trop difficile. Résultat : je ne rappellerais

plus jamais Nicolas. Je m'arrangerais pour ne plus jamais le croiser non plus. Et je ne le reverrais seulement que dans vingt-cinq ans, rongée par les remords et, sur mon lit de mort – parce que ces remords me donneraient le cancer –, j'attendrais qu'il vienne me voir pour enfin m'excuser et partir l'esprit en paix. Au nom de ma santé et de ma survie, je me dois de passer par-dessus l'air bête de sa mère.

Moi (je crie) : EST-CE QUE JE POURRAIS PARLER À NICOLAS, S'IL VOUS PLAÎT ?

Madame (encore plus froide) : Il travaille, aujourd'hui. Bye.

Et elle raccroche.

Méchant air bête !

12 h 29

J'entre dans l'animalerie où Nicolas travaille et j'entends tous les sons que je n'ai pas entendus depuis si longtemps. Il y a Bono, le perroquet qui crie « allô », les chiens qui jappent, des oiseaux qui chantent. J'essaie de ne pas me faire voir par la fille aux cheveux rouges (qui sont maintenant assez décolorés) à la caisse. Je passe devant la cage des minous et il y a plein de nouveaux chats (pas aussi mignons que Sybil).

12 h 37

Depuis que je suis arrivée, je n'ai vu Nicolas nulle part. Il doit être dans l'arrière-boutique et je suis trop gênée pour me faufiler là-bas. Je vais attendre qu'il sorte.

13 h 01

Toujours pas de Nicolas.

Je suis trop tannée d'attendre. Je n'ai que deux options : a) je pars ou b) j'entre en douce dans l'arrière-boutique.

Je me faufile derrière les portes. J'aperçois Nicolas en train de laver une cage dans un grand évier. Puisqu'il ne m'a pas encore vue, j'ai encore la possibilité de revenir à l'option a.

Un monsieur m'arrête et me prend par le bras.

Monsieur : Qu'est-ce que tu fais ici, toi ?

Option a ! Option a ! Option a !

Nicolas : Aurélie ? (Il se retourne vers le monsieur.) C'est beau, je la connais.

Le monsieur me lâche le bras.

Nicolas : Qu'est-ce que…

Moi : Je voulais m'excuser pour hier.

Bizarrement, malgré tout le temps que j'ai eu, je n'ai pas pensé à ce que j'allais lui donner comme raison. La vérité serait sans doute appropriée, mais je n'ai pas encore décidé si c'était une bonne idée de le rendre complice de mon crime de mentir à ma meilleure amie. Il y a sûrement une autre solution.

Nicolas : Non, c'est moi. Je te brusque tout le temps. Tu m'avais dit que tu ne te sentais pas prête pour sortir avec quelqu'un et…

Moi : Non, ce n'est pas ça…

Nicolas : Hier, je voulais… Mais c'était sûrement trop vite. Et tu t'es sauvée.

Moi : Je ne me suis pas sauvée…

Il me semble que ce serait le bon moment pour lui dire que je vis cette relation en cachette de ma meilleure amie. Pourquoi je n'y arrive pas ?

Nicolas : Je pense qu'on ferait mieux d'être amis, comme tu me l'avais suggéré.

100

Nicolas continue de nettoyer quelque chose que je ne vois pas et il ne me regarde plus. Ce qu'il dit est vrai. Vivre une relation et risquer d'avoir de la peine, comme Kat a de la peine pour Truch ou comme j'en ai eu quand mon père est décédé me fait peur. Mais s'il y a quelque chose que j'ai appris en lisant le *Miss Magazine*, c'est que 1) vaut mieux démêler des cheveux mouillés avec un peigne plutôt qu'avec une brosse et 2) si j'enlève quelques couches d'oignons (métaphoriques), je ne me transformerai pas en citrouille (ma conclusion personnelle).

Moi : Non !

Nicolas : Non quoi ?

Moi : Non, je *veux* qu'on sorte ensemble.

Il arrête de frotter et me regarde.

Nicolas : Ah oui ?

Moi : Oui, mais hier… J'aimais la journée, c'est juste que…

Nicolas : J'ai été un peu trop vite sur mes patins ?

J'avais envie de lui dire toute la vérité, mais j'ai éclaté de rire et je n'avais qu'un mot en tête : « Titilititiiiii. »

Lundi 13 février

Journée pédagogique !

Je voudrais profiter de cette journée pour étudier. Mais le téléphone sonne toutes les trente secondes ! Kat fait de nombreuses découvertes sur les chevaux et rêve que ses parents lui en achètent un, même si ça coûte des milliers de dollars. Elle dit qu'elle aimerait se trouver un travail pour les aider à en payer une partie. Toutes les cinq minutes, elle a un nouveau plan.

Quand ce n'est pas Kat qui appelle, c'est Nicolas (j'avoue que je suis contente quand j'entends sa voix).

Hier, j'ai failli tout révéler à ma mère au sujet de Nicolas. Est-ce quelque chose qu'on confie à sa mère? J'aimerais ça le lui dire parce que je voudrais le dire à quelqu'un. Je l'ai bien dit à Sybil, mais ça ne semble pas une nouvelle qui la réjouisse parce que quand je le lui ai dit, elle ne s'est pas retournée vers moi et elle a continué de jouer avec mes pantoufles.

Comment je lui dirais ça? «Maman, j'ai un chum.» Je ne sais pas. Il faut que je me confie au moins à une personne.

13 h

Ce n'est pas tant le fait d'avoir un chum qui me fait triper, parce que je n'en voulais pas. C'est le fait que ce soit Nicolas, et que ce soit un gars trop génial!

13 h 16

Je vais tout avouer à Kat bientôt. Mais pour l'instant, ça vaut la peine de garder le secret. Pas très longtemps. Disons, juste encore un petit peu.

13 h 21

Malgré tout, j'aurais envie d'en parler à la terre entière!!!

15 h 13

Je me suis confiée à tout un lot de personnes ! J'ai profité de l'absence de ma mère pour me servir de son ordinateur afin de faire une recherche Internet pour mon travail de géo. Et j'ai trouvé un blogue intéressant et j'ai annoncé à tous les blogueurs que j'avais un chum. Bon, ça n'avait aucun rapport avec le sujet du blogue (qui traite de l'écologie) et j'ai utilisé le *nickname* « Bambi » (en l'honneur de ma journée de patinage avec Nicolas), alors *techniquement*, personne ne sait que c'est *moi*. Mais ça m'a fait du bien de l'annoncer à des gens. C'est juste bizarre quand tu visites le blogue et que tu lis :

Écologique, 14 h 27 a écrit :
Il faut préconiser les énergies propres comme le solaire photovoltaïque, les biocarburants et les batteries évoluées.

Pourunavenirvert, 14 h 45 a écrit :
Je suis d'accord. Nous devrions manifester afin que le gouvernement, et donc les décideurs politiques, les entreprises et les investisseurs comprennent à quel point il est primordial de favoriser l'utilisation des technologies propres.

Bambi, 14 h 52 a écrit :
J'AI UN CHUM !!!!!!!!!!!!!!!!

Mardi 14 février

Saint-Valentin.

Ça va mal en français malgré mon poème. J'aimerais être capable de retrouver ma concentration. Le problème, c'est qu'avant les fêtes, j'avais presque réussi, mais depuis quelque temps, j'ai de la difficulté à ne pas penser à Nicolas.

Il n'y a personne d'autre à l'école qui s'appelle Aurélie. Mais il y a deux Katryne dans le cours de maths (l'autre Katryne écrit son nom comme ça : Catherine). Alors, quand un prof dit : « Katryne », Kat a une chance sur deux qu'il ne s'agisse pas d'elle. Mais quand un prof dit : « Aurélie », c'est sûr que c'est moi.

Tout ça pour dire qu'aujourd'hui, en français, Marie-Claude m'a demandé (devant tout le monde) :

– Aurélie, peux-tu rappeler à la classe qu'est-ce qu'un marqueur de relation ?

Sur le coup, j'ai été sonnée. J'étais dans la lune. Et il m'est arrivé ce qui m'arrive chaque fois qu'un prof dit mon nom : j'ai ressenti une grosse boule apparaître au niveau de mon estomac et redescendre jusqu'à mes pieds, causant un assèchement spontané de ma bouche et m'empêchant par le fait même de parler pendant un instant.

Marie-Claude : Aurélie ?

Moi (après m'être dérhumée) : Euhgrr… Oui. Le marqueur de relation est un mot, euh… qui établit des liens (je regarde dans mon manuel) sémantiques entre les mots et les phrases.

Marie-Claude : Oui, c'est ça.

Elle a continué de parler, mais je n'arrivais plus à écouter. Je ressentais encore ma boule au niveau de l'estomac. Les profs ne savent pas à quel point c'est humiliant de se faire interpeller comme ça, sans avertissement. Une chance que j'ai passé ma journée à étudier hier, sinon j'étais cuite !

Midi

Kat est incapable de manger son sandwich. Elle est triste. Elle dit que ça ne passe pas. Elle ne veut pas l'avouer, mais je crois que le fait que ce soit la Saint-Valentin, et que l'école soit décorée avec tout plein de cœurs rouges en dentelle et de cupidons or quétaines lui fait revivre les émotions qu'elle refoule depuis quelques semaines.

Moi : Écoute, il faut que tu prennes des forces pour quand tu auras un cheval !

Ça l'a ravigotée et elle a commencé à manger.

Kat : T'as raison. Je ne sais pas pourquoi je m'en fais pour lui. Une chance que je t'ai, toi, ma meilleure amie.

Puis, elle s'empare d'un cœur en carton suspendu avec une corde juste au-dessus de notre table et le déchire en mille morceaux.

16 h

J'ai une idée géniale ! Kat a besoin d'un marqueur de relation (moi) pour établir un lien avec un autre gars (je ne sais pas encore qui). Si elle se fait un chum, elle va recommencer à croire en l'amour, et elle recommencera à vouloir me vendre ce sentiment. Et là, moi, je ferai semblant de me laisser convaincre de vouloir sortir avec un gars, en l'occurrence Nicolas (titilititiiiiiii).

18 h

Ma mère m'a appelée pour me dire qu'elle rentrerait tard et j'ai dû manger du spaghetti en conserve (dégueulasse). Je crois qu'elle a un rendez-vous galant en l'honneur de la Saint-Valentin.

18 h 50

Je regarde l'ordi de ma mère. Elle *chatte* souvent et ne se rend pas compte qu'elle pourrait tomber sur un maniaque. Vu qu'elle est inconsciente, il faudrait que quelqu'un l'aide.

18 h 55

En l'occurrence moi !

18 h 57

Si je fouille dans son courrier envoyé, je pourrai voir avec qui elle correspond, les « googler » et voir si ce sont des bons prospects. S'il y a un criminel dans le lot, Google le saura.

19 h 01

Non, je ne peux pas faire ça.

19 h 02

C'est pour le bien de ma mère !

19 h 05

Juste avant que je regarde son courrier, ma mère entre. Fiou ! Juste à temps avant que je me fasse surprendre à faire une grosse gaffe.

20 h 50

J'ai parlé au téléphone avec Nicolas jusqu'à ce que ma mère me dise de raccrocher. On s'est souhaité Joyeuse Saint-Valentin (Nicolas et moi, pas ma mère et moi) et on avait de la difficulté à raccrocher. Hi-hi-hi-hou-hi. Avant de raccrocher, je lui ai demandé s'il aurait un ami à présenter à Kat. Il m'a dit qu'il ne croyait pas aux «matchs forcés». Il m'a demandé pourquoi je voulais faire ça, et je n'ai pas osé lui dire que c'était parce qu'elle ne savait pas qu'on sortait ensemble.

Mon rôle de Cupidon-marqueur-de-relation sera plus difficile que prévu.

20 h 51

J'ai demandé à ma mère si elle avait un Valentin et elle m'a répondu :
– C'est toi, ma Valentine !
T'sais, en plein le genre de phrase pour me faire sentir coupable d'avoir voulu fouiller dans son ordinateur…

Mercredi 15 février

Je ne sais pas ce qui m'arrive. Je suis rendue menteuse, fouineuse de vie privée, etc., etc. Je crois que c'est un ingrédient qui se trouve dans l'eau. Je crois qu'il y a des ingrédients radioactifs dedans et que ça me rend comme les vilains, dans les BD. J'aimerais ça changer d'eau *avant* de faire quelque chose de mal.

20 h 10

Moi: Mamaaaaan? Est-ce qu'on pourrait acheter de l'eau en bouteille?

Ma mère: Pourquoi?

Moi: Notre eau est dégueu. Je crois qu'il y a des ingrédients radioactifs dedans.

Ma mère: L'eau est très bonne, c'est toi qui regardes trop de films.

Nouvelle résolution: Je ne bois plus l'eau du robinet.

Constatation: Je suis déçue de constater que je n'ai pas la confiance aveugle de ma mère. Si je lui dis que l'eau est dangereuse, elle devrait me croire, non?

Jeudi 16 février

J'ai soif! J'ai tellement soif! Je vais mourir déshydratée.

Midi

Kat: Qu'est-ce que t'as?

Moi: J'ai soif…

Kat: Bois!

Moi: L'eau n'est pas bonne.

Kat: Depuis quand?

Moi : Depuis toujours, sauf qu'on ne s'en rend pas compte.

Kat : Bois du jus.

Moi : Je ne boirai rien qui n'est pas fait avec de l'eau filtrée.

Kat : T'es bizarre.

Moi : Je le sais ! C'est à cause des ingrédients radioactifs dans l'eau !

18 h

Quelle journée !

Je me suis évanouie en plein cours de bio et on m'a amenée à l'infirmerie. Ensuite, l'infirmière m'a massé les pieds, ce que j'ai trouvé très étrange.

Mais elle m'a dit qu'elle croyait que j'avais des crampes menstruelles et c'est ce qui la soulage, elle, quand ça arrive. Ensuite, on m'a renvoyée chez moi. J'ai bu cinq verres d'eau. Et pas des petits verres d'eau, des grands. Si l'eau me rend diabolique, ç'a dû m'achever. Ma mère est arrivée quelques minutes après que l'école l'a appelée pour lui annoncer que je m'étais évanouie. Quand elle m'a demandé ce que j'avais, je n'ai pas osé lui dire que c'était parce que j'avais trop soif. (La preuve que je suis maintenant le diable incarné.) J'ai seulement dit que j'avais eu un malaise, mais que j'allais mieux. Elle m'a dit :

– Ce n'est pas parce que tu t'es empêchée de boire de l'eau toute la journée, j'espère ?

J'ai répondu :

– Meh, rapport ?!?

Ce qui, je croyais, était un argument solide, mais qui a tout de même laissé ma mère

sceptique. Comment elle a fait pour deviner ?
Peut-être qu'elle aussi fouille dans mon journal
et que lire ses courriels, dans le but de la
protéger (et non machiavélique), n'aurait été
que le juste retour des choses.

19 h

Je suis dans mon lit en train de lire des *Archie*
pendant que Sybil court après des proies
imaginaires dans ma chambre (je crois qu'elle est
schizophrène) quand ma mère entre (sans frapper,
alors que je lui ai dit cent fois de le faire !).

Ma mère : Penses-tu que tu vas être correcte,
Cocotte ?

Moi : Tu n'as pas cogné.

Ma mère : 'Scuse.

Elle sort et frappe.

Moi : Oui, entrez !

Ma mère : Penses-tu que tu vas être correcte ?

Moi : Oui.

Ma mère : Parfait. Je sors.

Moi : Avec qui ?

Ma mère : Un gars que j'ai rencontré sur
Internet.

Moi : Je suis très malaaaaaaaaade ! Tu ne
peux pas sortir !

Ma mère : Tu viens de dire que tu étais correcte.

Moi : C'était pour ne pas que tu t'inquiètes.

Ma mère : Allez, je crois que maintenant que
tu as recommencé à boire, tu vas aller mieux.

Et elle me fait un clin d'œil. Ma mère est
devenue très irresponsable. Je me suis évanouie
à l'école et ça ne la fait même pas rester à mon
chevet ! Tout à coup que ce serait annonciateur
d'une maladie grave ?

Moi : Tout à coup que ce serait annonciateur d'une maladie grave ?

Ma mère : Je pense que tu vas survivre.

Elle se dirige vers la porte.

Moi : Hé, maman ?

Ma mère : Oui ?

Moi : Pourquoi tu dis que tu sors avec des « gars » ?

Ma mère : Quoi ?

Moi : Tu dis toujours « je rencontre un gars ». Ils ont quel âge, tes correspondants, coudonc ?

Ma mère : Mon âge.

Moi : C'est juste que je trouve ça bizarre.

Je n'ai pas cru bon de lui rappeler en plus que les strings se portaient *en dessous* des pantalons, parce que jusqu'à maintenant elle semble être consciente de ce fait.

Ma mère : Je n'avais jamais pensé à ça. Tu sais, la dernière fois que je suis sortie avec des gars, c'était au début de ma vingtaine. J'imagine que c'est un réflexe.

Moi : Moi, je peux sortir avec des gars. Mais toi, tu sors avec des hommes ou des messieurs.

Ma mère : Des hommes… Des messieurs… Oui. C'est vrai.

Moi : À ton âge…

Ma mère : Aurélie !

Elle a éclaté de rire et m'a priée de ne pas la retenir plus longtemps. Puis, avant de sortir, elle m'a dit, sur un ton badin :

– Tu sors avec des *gars*, toi ?

Et elle est sortie sans attendre ma réponse.

21 h 35

Ma mère n'est pas encore rentrée.

21 h 55

Toujours pas rentrée.

22 h 14

Je le savais! Elle n'a aucun discernement!
Elle est tombée sur un maniaque!

22 h 36

Je vais devenir orpheline. On m'enverra
vivre chez ma grand-mère Laflamme. Oh non!
Je ne veux pas aller là! Ça pue la cigarette là-
bas! Ou pire! Ils vont m'envoyer chez mes
grands-parents Charbonneau et je vais devenir,
comme eux, une championne de bingo et je
partirai tous les étés en Winnebago. Et je
déteste ça! J'y suis allée une fois et j'étais trop
grande pour mon lit, la salle de bain petite
comme ma main puait le caca et je n'avais
aucun endroit où avoir de l'intimité. Ma vie est
foutue!

23 h 31

La porte d'entrée s'ouvre. Je cours et je saute
dans les bras de ma mère qui s'affale dans le
fauteuil le plus près.

Moi: Maman?

Ma mère: T'avais raison. Maintenant, je ne
suis bonne que pour les messieurs.

Moi: J'ai dit ça rien que pour t'empêcher de
sortir. Ça ne s'est pas bien passé?

Ma mère: Non. Je me sens… vieille.

Moi: Mais non! T'es la plus belle du monde!

Ma mère: Je ne me sens pas vraiment
comme ça. Après mon rendez-vous, très plate,
en passant, je suis allée prendre un verre.

Moi : Toute seule ?
Ma mère : Oui.

Note à moi-même : Voilà bien la preuve que je suis démoniaque. J'ai rendu ma mère alcoolique !

Vendredi 17 février

Aujourd'hui, j'étais fatiguée à l'école parce que je me suis couchée tard hier, à cause de ma mère. Si jamais j'ai de mauvaises notes à l'école, elle ne pourra pas me le reprocher, ce sera de sa faute.

Ce matin, elle s'est excusée un million de fois de m'avoir inquiétée. Elle m'a même fait des gaufres ! Un plat qu'elle réserve habituellement aux occasions spéciales, comme Pâques, disons. Puis, alors que je lui apportais son ordinateur, ouvert subtilement à l'adresse du site Internet des Alcooliques Anonymes, elle m'a juré qu'elle n'avait pris qu'un verre, et qu'elle y est allée seule simplement pour faire le point. Pendant que je savourais mes gaufres (mmmm succulentes !), je me disais à quel point j'étais contente de ne pas avoir à passer ma vie entourée de fumée secondaire et/ou dans un Winnebago. Alors, j'ai dit :

– Maman, je t'aime vraiment !

Ce qui a semblé lui faire plaisir. Et elle m'a dit que, pendant qu'elle faisait le point, elle avait décidé d'arrêter de « clavarder » sur Internet, ce qui m'a réjouie. Je pense que c'est mieux comme ça. Puis, elle a ajouté :

– Et toi ?

Moi : Moi, quoi ? Je ne *chatte* pas sur Internet.

Sybil a commencé à miauler à côté de moi. J'en ai déduit qu'elle voulait mes gaufres.

Ma mère : Non, je veux dire… Je me confie souvent à toi et il me semble que ça devrait être le contraire. C'est moi qui devrais t'écouter. Qu'est-ce qui se passe dans ta vie ? Tu ne me racontes jamais rien.

– Bof… T'sais, avec l'école, je n'ai pas ben ben le temps pour autre chose.

– Ah, bon.

J'ai failli tout lui dire.

J'ai le goût de tout lui dire.

Samedi 18 février

C'est décidé. Je vais tout dire à ma mère. C'est déjà assez difficile de garder le secret avec Kat. Encore aujourd'hui, j'ai dû lui mentir pour pouvoir passer un peu de temps avec Nicolas. Et j'ai décidé que je n'étais pas un démon sorti tout droit de l'enfer, mais bien une victime des événements. Je ne *veux* pas mentir, j'y suis *forcée*. Mais je suis gênée (pas de mentir, ben oui, un peu, parce que ce n'est pas correct, mais surtout d'annoncer à ma mère que Nicolas est mon chum).

18 h 50

Après la vaisselle, je monte dans ma chambre m'exercer à ma déclaration.

19 h

J'ai écrit ma déclaration sur papier et j'essaie de la mémoriser devant mon miroir :

« Maman, je voudrais te dire quelque chose de gênant. En fait, c'est que depuis quelques semaines, je sors avec Nicolas. Tu te souviens de lui ? C'est le gars de l'animalerie grâce à qui nous avons pu avoir Sybil. Il est très gentil. Je sors avec lui depuis quelques semaines, mais c'est un secret. Tu ne peux donc pas le dire à Kat, parce qu'on a fait un pacte de ne sortir avec personne jusqu'à deux semaines avant notre bal. »

19 h 10

Je sonne un peu solennelle quand je le dis, voire un peu robotique, mais toute l'information est là, et la débiter d'un trait à ma mère m'enlèvera ma timidité face à cet événement. Je trouve que je partage déjà une grande partie de mon intimité avec ma mère, qui saura sans doute que j'ai *frenché* et tout et tout et je ne sais pas comment elle réagira.

19 h 30

Ma mère regarde la télé.

Moi : Maman… euh… J'ai quelque chose d'important à te dire.

Ma mère : Oui.

Elle ferme la télé et me regarde. Je me sens paniquée.

Moi : Maman, c'est très gênant. En fait, c'est que depuis quelques semaines, je n'ai pas vraiment le droit de mentir parce que c'est un secret, mais... tu te souviens de Sybil? Eh bien, tout ça pour dire je sors avec Kat jusqu'à mon bal.

Ma mère : Quoi?!? T'es amoureuse de Kat?

Moi : Non!!!!!!!!!!!!

Ma mère : Alors, c'est vrai? Tu es lesbienne? Tu sais, je suis un peu chavirée, mais je te respecte. Et je vais faire tout ce qui est en mon pouvoir pour que tu sois heureuse, malgré ta... différence. Je t'aime quand même et je t'accepte.

Moi : Oooooh! Tu m'accepterais si j'étais lesbienne? T'es la meilleure mère du monde!

Et je serre ma mère dans mes bras, mais je me retire lorsque je me souviens que je ne suis pas *vraiment* lesbienne.

Moi : En fait, j'avais préparé tout un discours, mais j'ai tout raté. La vérité c'est que... je sors avec Nicolas.

Ma mère : Aaaaaaah! Alors, comme ça, ma grande fille est amoureuse?

Hum... Je n'avais jamais vu ça sous cet angle. Je me disais que j'avais un chum. Qu'il est merveilleux. Et que le temps qu'on passe ensemble est vraiment super (cool, tripant, génial), mais je n'avais jamais pensé à ça : JE SUIS AMOUREUSE! C'est vrai! C'est très sérieux. Et ça expliquerait pourquoi mon cerveau n'envoie que le non-mot «titilititi» quand je suis en sa présence. Mon esprit bloque le mot «je t'aime» par pure protection de la douleur que ça pourrait engendrer dans mon cœur si Nicolas avait l'idée saugrenue de me faire la même chose que Truch a faite à Kat : me laisser. Wouah ! C'est fort, le cerveau.

21 h

Je n'arrive pas à me concentrer sur le *Archie* que je lis. (Je me suis probablement trop donnée, intellectuellement parlant, avec mes études *et* ma déclaration quelque peu ratée à ma mère.)

21 h 05

Je me demande quel est le meilleur moyen pour dire à quelqu'un qu'on l'aime… (?????)

Mardi 21 février

Est-ce qu'il faudrait que je fasse rencontrer quelqu'un à Kat avant d'annoncer à Nicolas que je l'aime ? Ce serait préférable, oui. Ça éviterait beaucoup de confusion.

Mercredi 22 février

Hier soir, Kat a fabriqué des pamphlets, car elle veut fonder un club pour que d'autres filles prennent part à notre pacte de ne pas avoir de chum. Oh là là ! Sur son pamphlet, il y a un cheval (bien sûr) et une fille qui attaque un gars avec une épée. Avec Photoshop, Kat a remplacé la face du gars attaqué par la face de Truch. (Je dois avouer que j'aime bien, même si je n'ai aucun dessein violent envers lui.)

Si jamais Kat découvrait que je sors avec Nicolas depuis… Depuis quand, au fait? Est-ce que je compte depuis le premier *french* (23 décembre), depuis la fois où on est allés à l'arcade (25 janvier) ou lorsque je lui ai dit que je voulais sortir avec lui, à l'animalerie (12 février)? Titilititi! Focus. Bref, si elle décidait de me faire un procès, aucune charge ne pourrait être retenue contre moi. Je l'ai consolée, je lui ai souvent donné la priorité sur mes sorties avec Nicolas, je lui ai conseillé de se trouver une nouvelle passion (ce sera un peu grâce à moi si elle devient une cava-lière professionnelle) et je suis toujours là quand elle a besoin de moi. Je suis une amie ex-em-pl-ai-re. (À part, bien sûr, ce léger détail que je suis une horrible menteuse.)

Vendredi 24 février

C'est aujourd'hui que je mets à exécution mon plan de *matcher* Kat et Raphaël, l'ami de Nicolas. Je ne l'ai jamais rencontré, mais s'il est ami avec Nicolas, c'est qu'il doit être tout aussi extraordinaire que lui: qui se ressemble s'assemble!

J'ai dit à Nicolas d'agir avec moi comme un ami, parce que s'il me montre de l'affection en public, ça pourrait faire de la peine à Kat, vu qu'elle est en peine d'amour. Il a dit : « OK »

14 h

On a donné rendez-vous à Nicolas et Raphaël à l'arcade. Je n'ai pas eu de difficulté à convaincre Kat. Je lui ai dit que, depuis que Nicolas m'avait permis d'avoir Sybil, grâce à ses contacts en animalerie, on était devenus amis.

14 h 01

Je préfère me voir comme une Charlie's Angel, style espionne internationale qui doit « inventer des histoires » pour sauver l'humanité, plutôt que comme une menteuse.

14 h15

Raphaël est gentil, mais… spécial. Il a l'air nerveux et, comme le frère de Nicolas (pire, en fait), il semble triper sur Brice de Nice et avoir adopté sa façon de parler. Mais *vraiment* exagérément.

14 h 20

On joue aux courses d'auto à quatre, et je suis loin derrière les autres. Raphaël me regarde et me dit :

– Aurélie, est-ce que t'as ton permis ?

Moi : Non, pas encore.

Lui : Ah, bon. Je croyais que t'en avais un… de l'âge d'or ! J't'ai cassée !

14 h 25

On se promène dans l'arcade à la recherche d'un nouveau jeu.

Kat : Ce qui manque, dans les arcades, ce sont des jeux avec des chevaux.

Raphaël : T'aimes les chevaux ?

Kat : Oui, j'ado…

Raphaël : Ça paraît, t'as leur haleine ! KC !

Je regarde Nicolas, troublée, et il hausse les épaules, comme pour me dire de ne pas faire attention à lui.

14 h 45

Bon, j'avoue que Raphaël est un petit peu énervant. Il n'est pas du tout comme Nicolas, qui est super. Mais une histoire d'amour avec Kat pourrait le transformer (pas Nicolas, Raphaël) ! Genre grenouille/prince charmant. Ça se peut !

15 h

Nicolas me propose de faire une partie de basket-ball. J'accepte, me disant que c'est super si je peux laisser Kat toute seule avec Raphaël. Ça leur donnera assez de temps pour être frappés par un coup de foudre.

Nicolas : Comment tu trouves Raph ?

Je lance un ballon et marque un point ; la machine émet un bruit de victoire, des applaudissements, suivis de « Yeaaaaah ! *Good shot* ! » et d'un bruit de sifflet.

Moi : Il… n'arrête pas de parler… en Brice de Nice.

Nicolas : Ouain… Je le sais.

Nicolas rate le panier et on entend un bruit de défaite : « *Too bad* ! »

Moi : Est-ce qu'il fait toujours ça ?

Nicolas : Non, des fois il hue.

Moi : Raphaël hue des gens dans leur face ?

Nicolas : Non, la machine à basket-ball !

Je rate le panier à mon tour, et la machine me hue. Il faudrait que je me concentre un peu plus, mais l'avenir amoureux de mon amie est plus important qu'une victoire au basket d'arcade !

Moi : Je parlais de Raphaël.

Nicolas : Ah, OK ! Ha ! ha ! ha ! Je crois qu'il est nerveux. Il n'est pas toujours comme ça.

Moi : C'est qu'il dit des choses insultantes.

Nicolas : Fais-toi z'en pas. Je suis sûr qu'il ne pense pas ce qu'il dit. Je crois même qu'il se pense *vraiment* drôle.

15 h 13

Kat me prend par le bras avant que j'aie terminé la partie en me disant qu'il faut que je la suive et que ça presse.

15 h 15

Kat m'emmène aux toilettes presque de force pour me dire qu'elle veut s'en aller. Qu'elle n'est plus capable ! Que, s'il le faut, on va se sauver par la porte arrière. Puis, elle commence à se laver les mains frénétiquement.

Moi : Ça va ?

Kat : Je ne sais pas trop. Je me sens stressée.

Moi : Relaxe !

Kat : En passant, je pense que Nicolas tripe encore sur toi. Il n'a peut-être pas oublié votre *french* !

Moi : Quoi ?

Kat : Mais oui, le *french* que tu m'as raconté, sous le lampadaire et tout et tout… Avant les fêtes !

Moi : Ah oui ! J'avais… oublié. Tu ne trouves pas que Raph est vraiment cool ?

Kat : Ne me dis pas que tu tripes plus sur Raphaël que sur Nicolas ? Il est con, Raphaël. Il n'arrête pas de parler en Brice de Nice.

Moi : C'est drôle !

Kat : C'est con.

Moi : Je suis certaine qu'il fait ça parce qu'il est intimidé par toi… et ta grande beauté.

Kat : Avec toutes les insultes qu'il m'a lancées, ça me surprendrait.

Moi : Il fait ça pour se donner un style.

Kat : Une chance qu'on voit clair maintenant qu'on ne veut plus sortir avec des gars. Imagine qu'on se mette à triper sur des gars qui volent leur personnalité à un film ? Pouah !

Moi : Tu tripes sur les chevaux à cause d'un film…

Kat : Ce n'est pas pareil !

Moi : Mais Nicolas…

Kat : Je suis sûre qu'il se retient de parler comme ça juste parce qu'il tripe sur toi.

Moi : Ah… Tu penses ?

15 h 27

En sortant des toilettes, on voit Nicolas et Raphaël en train de jouer aux courses de motos. Et juste à côté, on voit Truch parler doucement au creux de l'oreille d'une super-pétard (moins belle que Kat, à mes yeux). Kat me prend délicatement la main, comme si elle avait besoin d'un support. Je la regarde et je vois qu'elle retient ses larmes. Je m'avance vers eux, j'aligne Truch droit dans les yeux et je dis :

— Truch, tu n'es qu'un…

Je voudrais dire quelque chose, mais je n'y arrive pas. Je voudrais trouver une répartie assassine pour sauver Kat et son honneur, mais j'en suis incapable.

— Tu n'es qu'un…

Je sais pourtant que lorsque je vais me coucher ce soir, je vais trouver quelque chose. Alors pourquoi pas tout de suite ? Pourquoi il faut toujours que ça arrive cinq heures plus tard ? Des gens me regardent. Mes jambes tremblent. Il faut que je trouve quelque chose.

— Tu n'es qu'un… pédant ! Pis si tu ne sais pas ce que ça veut dire, cherche dans le dictionnaire. T'sais, c'est le livre qui est juste un peu moins gros que ta tête.

Et, en fendant l'air de ma main droite, j'ajoute, en pesant chaque mot :

— Je. T'ai. K.C.

Truch me regarde, la bouche ouverte. Kat, encore sonnée, émet un petit ricanement et ajoute : « Pis tu pues des pieds ! » Nicolas se retourne vers nous, étonné. Raph fait : « Cool, *man* ! » Toujours en tenant sa main, j'entraîne Kat vers la sortie.

Honnêtement, je ne sais pas comment j'ai fait pour sortir ça, comme ça, à brûle-pourpoint. Hypothèse : j'ai canalisé toute la culpabilité que je ressens envers Kat pour pouvoir la sauver.

Samedi 25 février

Hier soir, j'ai passé la soirée avec Kat. En guise de rituel d'adieu, elle a jeté son nounours « I cœur you » dans le foyer et l'a regardé brûler jusqu'à la fin avec de la rage dans les yeux. Julyanne n'arrêtait pas de dire de ne pas s'en prendre au toutou, qu'elle voulait le garder, mais Kat tenait à le brûler. Elle disait que c'était symbolique. Puis, avant que je reparte chez moi, elle m'a dit : « Merci d'être une si bonne amie. » Ce qui est très dur pour ma santé mentale et qui en rajoute à la liste de mes problèmes de conscience. Mais il faut que j'oublie ça aujourd'hui. Parce que ça fait un mois que je sors avec Nicolas (j'ai décidé de commencer le calcul du début de notre relation à notre sortie à l'arcade) et je veux lui annoncer que je l'aime. Et qu'il ne faut pas que je gâche ce moment par des pensées négatives.

14 h 12

J'ai invité Nicolas au parc. Il m'a dit : « Est-ce que tu veux encore me garocher dans un banc de neige ? » Ha. Ha. Très drôle.

14 h 25

C'est facile, je n'ai qu'à dire : « Nicolas, je t'aime. »

14 h 31

Mmmmm. Ça peut attendre qu'on ait fini de s'embrasser. Nicolas sent le bon assouplissant, même l'hiver au froid. Je me demande si, quand on s'embrasse dehors alors qu'il fait aussi froid, on peut geler comme ça et rester collés en statues de glace jusqu'à la fin des temps.

14 h 33

Alors que j'embrasse Nicolas et que je m'imagine me transformer en statue de glace (très romantique selon ma rêverie), j'entends : « Aurélie !!! » C'est la voix de Kat ! Je ressens une boule au niveau de mon ventre, exactement la même que quand un prof dit mon nom dans la classe. J'arrête d'embrasser Nicolas (évidemment), je me retourne, et j'aperçois Julyanne, abasourdie, entourée de deux amies.

Julyanne : Aurélie… Le pacte…

Nicolas : Quel pacte ?

Julyanne : Ma sœur, Aurélie et moi ne sommes pas supposées sortir avec des gars jusqu'à deux semaines avant notre bal !

Nicolas : Ah ouain ?

Moi (à Nicolas) : Je vais t'expliquer.

Julyanne : Je vais le dire à ma sœur !

Moi (à Julyanne) : Julyanne, ne dis rien à Kat, s'il te plaît !

Nicolas : T'as honte de moi ou quoi ?

Moi (à Nicolas) : Non, c'est… compliqué.

Julyanne : Je vais tout dire !

Moi (retenant Julyanne par le bras) : Quand je suis allée porter tes hamsters à l'animalerie, tu m'as juré que tu ferais tout ce que je veux pour le reste de ma vie, tu te souviens ?

Julyanne : Il faut qu'elle sache que tu joues dans son dos !

Moi : Je ne joue pas dans son dos, j'attendais juste… le bon moment. (Je lâche son bras.) Elle avait de la peine et… je ne savais pas comment la consoler. Laisse-moi lui dire moi-même, OK?

Julyanne: Je te laisse deux semaines. Après, je le lui dis.

Moi: OK, *deal*. Merci.

15 h

Je suis frigorifiée. Pas seulement parce que je viens de tout expliquer à Nicolas et que je me sens coupable de mes gestes. Mais parce qu'on gèle dehors! Soudain, la perspective de me transformer en statue de glace me paraît beaucoup moins romantique. Mais bref, je lui ai tout raconté. Je lui ai dit que je ne voulais pas faire pitié avec ça, mais que, depuis la mort de mon père, j'ai de la difficulté à composer avec la tristesse des autres et que j'essaie de traiter ça à ma façon, qui n'est pas toujours la bonne. Dans ce cas-ci, je savais que je faisais quelque chose de pas correct, mais je ne pensais qu'à consoler Kat quand j'ai accepté de faire le pacte. Pendant que je m'expliquais, je passais d'un pied à l'autre, avec la nette impression que ça m'aidait à oublier qu'ils étaient gelés. J'étais transie de froid, de la morve coulait de mon nez et de la boucane sortait de ma bouche chaque fois que j'émettais un son. Bizarre que j'aie tout de même été capable d'aligner tous ces mots l'un à la suite de l'autre vu mes difficultés d'élocution en période de stress, augmentées X 1000 lorsque je suis en sa présence. Peut-être que le froid augmente mes capacités cérébrales? Au début, Nicolas avait l'air sceptique, mais il m'a finalement dit qu'il ne saurait pas ce qu'il aurait fait à ma place parce qu'il n'a jamais eu un ami en peine d'amour. Puis, il m'a regardée bouger sans élégance (selon mon opinion) d'un pied sur l'autre et il m'a dit :

– Viens, on rentre, t'es gelée.

Mais avant de rentrer, il fallait que je termine en lui disant la vraie raison pour laquelle je l'avais invité ici.

Moi : Non, non (mes dents commencent à claquer), je n'ai pas (claque, claque, claque) froid. J'avais (claque, claque, claque) quelque chose d'important (claque, claque) à te dire (claque, claque). C'est que (claque, claque, claque)...

Lui : Raph t'énerve ?

Moi : Non, ben oui, mais c'est (claque, claque) pas ça. C'est (claque, claque) que (claque, claque, claque) je (claque, claque, claque) t' (claque, claque, claque) ai (claque, claque, claque) me.

Il m'a prise dans ses bras et il a commencé à me frotter vigoureusement le dos, ce qui m'a réchauffée. Et il a dit :

– Moi aussi.

Note à moi-même : Titilititiiiiiiiiiiiiiiiiiiiiiiii !

Mars

Péter ma balloune

Vendredi 3 mars

La semaine de relâche sera la bienvenue. Raison : je suis à bout ! Complètement vannée. Et j'ai coulé un travail de géo.

Tout ça parce que Laurent Giroux, le prof, a voulu sortir un peu du programme et nous donner des points boni avec un travail supplémentaire (comme si on n'en avait pas assez comme ça !).

Au début de la semaine, il nous a parlé de la théorie du commencement de l'univers, plus communément appelé le Big Bang. Il nous a parlé de $E = mc^2$, qui permet la transformation de la matière en énergie et, indirectement, de l'énergie en matière. (Une chance que le Big Bang a permis la création de la Lune, car je peux m'y réfugier pendant les cours plates !) Bref, Laurent était en feu. Il nous a demandé de raconter en nos propres mots la théorie du commencement de l'univers.

Grâce à l'ordinateur de ma mère, j'ai fait plusieurs recherches et, en faisant des découvertes sur les débuts de l'univers et les théories scientifiques à ce sujet, j'ai eu un flash. Alors, j'y suis allée de ma propre théorie (farfelue, j'en conviens, mais pas impossible, selon mon opinion de visionnaire).

Voici le travail que je lui ai remis avant-hier :

La théorie du commencement de l'univers
Par Aurélie Laflamme

La naissance de l'univers est un événement qui reste difficile à expliquer, même pour les scientifiques possédant les plus gros télescopes.

En 1920, monsieur Edwin Hubble découvre à l'aide de son télescope que les galaxies s'éloignent de nous. Si on passe le film à l'envers, ça veut dire qu'à un certain moment, toutes les galaxies étaient condensées en un point précis et un jour, tout a explosé, créant les galaxies, les planètes, les étoiles, etc. Tout ce qui existe dans l'univers sont les morceaux d'une grosse masse de matière qui existait depuis le début des temps.

Mais à quand remonte le début des temps ?

Monsieur Einstein a trouvé $E = mc^2$ qui explique la transformation de l'énergie en matière. L'ère de la matière peut commencer, mais avec elle apparaît aussi l'ère du temps car, pour monsieur Einstein, l'espace et le temps sont, d'une certaine manière, fabriqués par la matière.

Mais tout ce qui a un commencement doit avoir une cause, non ? D'où sortait cette grosse masse de matière (et, donc, d'énergie) avant qu'elle n'explose ? Les scientifiques ne sont pas capables de remonter jusque-là. Mystère, mystère.

Alors, voici ma propre théorie : un jour, un être supérieur (Dieu, alias grosse masse de matière) aurait pu éternuer. Lorsqu'on éternue, des petites bulles de morve et de salive gravitent autour de nous. Bref, ces bulles sont remplies de microbes et sont comme un monde en soi. Donc, il se peut très bien qu'en éternuant, on crée à chaque fois un univers avec un début et une fin. Ce qui dure une seconde pour nous est peut-être comparable à des milliards d'années pour les microbes dans nos bulles de morve. Alors, il se peut très bien que celui qu'on appelle Dieu soit un genre d'extraterrestre sur une planète immense existant dans l'espace infini et que nous soyons simplement ses microbes résultant d'un éternuement. C'est pour ça qu'on peut dire qu'il nous a créés, car nous venons directement de lui, mais qu'il ne peut interagir sur nos vies parce qu'il ne nous voit même pas.

En conclusion, le Big Bang est en fait un «atchoum» et nous sommes tous des microbes.

14 h

Après avoir reçu mon travail sur lequel il était écrit un gros zéro, je suis allée voir Laurent Giroux dans sa classe, entre deux cours. Il était en train d'effacer le tableau.

Moi (timidement) : Monsieur Giroux, zéro… c'est un peu sévère.

Monsieur Giroux : Aurélie, je suis déçu de toi. Je croyais que tu prendrais ça au sérieux.

Moi : Je prends ça au sérieux. J'ai fait plein de recherches !

Monsieur Giroux : Je vois que tu as fait des recherches, mais ton travail n'a aucun sens.

Moi : Vous aviez dit d'écrire un travail «dans nos mots».

Monsieur Giroux: En parlant du niveau de langage, pas d'inventer n'importe quoi!

Moi: Comment pouvez-vous être sûr que ce que je dis, c'est n'importe quoi?

Monsieur Giroux: Voyons, Aurélie!

Moi: Galilée s'est fait enfermer pour avoir affirmé que la Terre était ronde! Et beaucoup plus tard, les scientifiques, avec de meilleurs appareils, ont découvert qu'il avait raison. Alors, il y a peut-être une mini-mini infime possibilité que ce que j'ai dit soit vrai et si c'est le cas et qu'on l'apprend de notre vivant, vous allez vous sentir très mal de m'avoir mis zéro!

Monsieur Giroux (après un long silence): Écoute… Je doute que tu puisses comparer ta théorie à celle des visionnaires. Tu as la note que tu mérites.

Moi: Mais j'ai la même note que les absents qui n'ont pas fait le travail. C'est injuste! J'ai fait plein de recherches et j'ai seulement fait part d'une hypothèse qui m'est venue en apprenant des choses sur le Big Bang!

Monsieur Giroux: Tu sembles effectivement avoir fait des recherches. Je vais te mettre 2 sur 5 pour tes efforts.

Moi: Deux?

En faisant oui avec sa tête, il a frappé deux brosses à tableau ensemble et un nuage de craie est apparu, ce qui m'a fait éternuer.

Monsieur Giroux: Tiens, tu viens de créer tout un monde!

J'aurais voulu dire: «Ha. Ha. Très drôle.» Mais je me suis abstenue et je me suis contentée de me moucher.

Monsieur Giroux : Ce sont seulement des points supplémentaires. Ça ne te fera pas couler le cours. Mais reste dans le programme la prochaine fois.

Moi : Ce n'est pas comme ça qu'on fait avancer l'univers, monsieur Giroux.

20 h
Je suis un microbe.

J'ai toujours eu des principes. Des convictions. Les gars m'énervaient solide. Et, voyant Kat et d'autres personnes tomber amoureuses et devenir complètement déjantées, avec le cerveau ramolli par l'amour, je m'étais dit que je ne voulais jamais vivre ça. Ou, du moins, que si un jour ça m'arrivait par erreur, ou par hasard, je resterais moi-même. Que mon cerveau allait rester intact. Que j'allais pouvoir demeurer raisonnable, complètement en contrôle de la situation et qu'aucune émotion ne s'emparerait de mes neurones intacts. Et là, Nicolas est arrivé et pouf ! Tout a changé. Je suis devenue une totale autre personne, totalement aliénée.

Samedi 4 mars

Enfin ! La semaine est terminée ! La semaine prochaine : pas d'école. Yahouuuuuuuuuuu!!!!!!!!!

10 h

Pendant que je regarde des dessins animés.

Ma mère : Aurélie, j'ai décidé de prendre quelques jours de congé pendant ta semaine de relâche. J'ai pensé que ce serait le moment idéal pour repeindre, comme tu me l'avais proposé en janvier. J'ai besoin de faire entrer de nouvelles énergies dans la maison. Et demain, toute la famille se réunit chez mes parents et on pourrait aussi aller voir grand-maman Laflamme…

Moi : Wo ! La semaine de relâche, c'est pour se mettre à jour dans nos travaux scolaires.

Ma mère : Je ne t'ai jamais vue faire de travaux scolaires pendant ta semaine de relâche.

Moi (dans ma tête seulement : mui mui mui mui mui mui, en vrai) : Tu n'es pas vingt-quatre heures sur vingt-quatre avec moi, non plus !

10 h 34

Impossible de négocier avec ma mère ! Elle trouve que la famille, c'est important, pense que repeindre nous fera du bien et constituera un projet commun et blablabla. Demain, tous mes oncles et tantes seront chez mes grands-parents Charbonneau et je n'ai pas le choix d'y aller, sans quoi je serai privée de je-ne-sais-pas-trop-quoi parce que je ne l'écoutais plus rendue là.

Midi

Je suis à la quincaillerie avec ma mère pour choisir les couleurs qu'on mettra dans la maison. En marchant dans les allées éclairées au néon, je vois mon programme de la semaine s'envoler en fumée : glissades, révéler mon grand secret à Kat après avoir prouvé que je suis la meilleure amie du monde, voir (embrasser) Nicolas, regarder plein de films, jouer à des jeux vidéo… Bref, j'en suis réduite à passer ma semaine de relâche à faire l'esclave. Très réjouissant.

15 h

Ma mère ne veut pas que je peigne toute ma chambre en rouge cerise, comme j'en avais eu l'idée. Elle dit que c'est trop intense. Et le salon orange brûlé, comme elle le souhaite, ce n'est pas intense, ça? On a réussi à s'entendre sur le fait que je mettrais un mur de ma chambre rouge cerise et les trois autres rose pâle. Puis, ma mère va m'acheter un couvre-lit avec un rappel au rouge cerise. Je ne veux pas le dire trop fort, mais je crois que c'est finalement une meilleure idée.

Dimanche 5 mars

J'aimerais ça être une vedette internationale. Toute ma vie serait étalée dans les journaux et magazines et, comme ça, je n'aurais jamais besoin de répondre à toutes les questions du genre: «Qu'est-ce que tu fais ces temps-ci?», «As-tu un p'tit chum?» et la non moins achalante «Comment ça va dans tes études?» Si les gens voulaient vraiment savoir tout de moi, ils n'auraient qu'à consulter la presse à potins. Évidemment, tout ce que j'aurais à faire, c'est de démentir certaines rumeurs, mais le gros du travail serait fait.

Je dis ça parce que je suis chez mes grands-parents et toute la famille me pose continuellement toutes sortes de questions auxquelles je dois répondre par politesse alors que je n'aurais qu'une envie : jouer au Nintendo (ou être avec Nicolas). Mais pas question que je dévoile tout de ma vie ! J'ai mes secrets. Bon, mon idée de vedettariat international est peut-être en contradiction avec ma volonté de vouloir garder mes secrets pour moi. Hum…

Note à moi-même : Tenter d'être plus consé-quente dans mes buts et/ou rêves.

Lundi 6 mars

Premier jour de ma semaine de relâche ! Ma mère travaille aujourd'hui et ne veut pas que je commence à peindre sans elle (*yes,* congé !!!). Parfait ! Je me suis dit que c'était la journée i-dé-a-le pour tout avouer à Kat.

Dire la vérité à Kat est une très bonne chose car 1) ça me soulagera d'un grand poids, 2) je ne suis pas faite pour mener une vie de mensonges et de fourberies et 3) je vais pouvoir commencer à dessiner des cœurs dans mon agenda. Je me retenais pour ne pas être démasquée.

13 h 31
Kat est complètement démolie. Elle est triste et pleure sans arrêt.

Kat (à travers une pluie de sanglots) : Quand est-ce, est-est-ce… qu'il va disparaître, aî-aître… de mon esprit, i-i… Truch, u-u-ch?

Moi : Il va disparaître quand tu vas le décider. T'as qu'à souffler dessus et son image va faire pouf!

Kat : Il a, a-a… une nouvelle-e-elle… blonde, on-onde!

Moi : Qui ça?

Kat : La fille, i-iille… de l'arcade, a-ade…

Moi : Ce n'est peut-être pas sa blonde.

Kat : Il la cruisait, ait-ait… C'est pire, i-ire.

17 h

Kat est complètement déconfite. Elle a le visage bouffi. Et ne veut plus rien manger. J'ai mal au ventre rien qu'à la regarder tellement ça me fait de la peine de la voir dans cet état. Elle a déliré sur le fait que Truch était l'homme de sa vie. Et que sa vie n'avait aucun sens sans lui. Quand elle m'a dit ça, je lui ai dit de m'attendre et je suis allée chercher mon travail sur ma théorie (farfelue) de l'univers. Je lui ai dit de la lire. Elle l'a lue et m'a ensuite regardée en disant :

– T'as remis ça à Giroux?

Moi : Oui.

Et elle a éclaté de rire pendant au moins dix minutes. En fait, elle passait d'une minute à l'autre du rire aux larmes. Alors, j'ai dit :

– Alors, imagine qu'on soit tous des microbes… Tu ne trouves pas que Truch est un microbe qui ne vaut pas la peine qu'on s'y attarde? Se penser bon quand on n'est, dans le fond, qu'un microbe, ça n'a vraiment pas rapport.

Kat a acquiescé et je suis retournée à la maison.

20 h

Tout compte fait, dire la vérité à Kat est une bonne *chose*, mais aujourd'hui n'était pas la bonne *journée*. Ça l'aurait démolie. Selon le *deal* avec Julyanne, je n'ai que jusqu'à la fin de la semaine. Elle n'a pas manqué de me le rappeler avant que je quitte leur maison en me faisant des gros yeux. Oh là là!

Mardi 7 mars

Nicolas est venu m'aider à peinturer ma chambre (top gentil). Ensuite, ma mère l'a invité à souper avec nous. Ce que j'aurais préféré qu'il n'arrive jamais! Elle a commandé de la pizza (ça, c'est cool). Et, après toutes les recherches d'amis communs du genre : « Est-ce que ta mère a une cousine qui a un voisin qui habite à côté d'un collègue qui est le frère d'une amie à moi par hasard ? » (pourquoi ma mère fait ça ? Je ne sais pas), elle a sorti mon album de photos de bébé et elle a révélé plein de choses sur *moi* que j'aurais préféré qu'il ne sache *pas*.

Anecdotes que ma mère a racontées :
• À cinq ans, je n'avais pas le droit de marcher seule dans la rue. Un jour, je me suis rebellée et je l'ai fait quand même. Rendue quatre maisons

plus loin, j'ai éclaté en sanglots, complètement perdue. Une voisine m'a ramenée en pleurs.

Nicolas a dit :

– Tu t'es perdue quatre maisons plus loin ?

Moi (en regardant ma mère avec des flèches dans les yeux) : Ben quoi ? J'avais cinq ans et un très mauvais sens de l'orientation qui est héréditaire, soit dit en passant !

• À sept ans, j'étais gênée de faire pipi dans les toilettes publiques et un jour, je suis revenue à la maison et j'ai fait pipi dans mes culottes… avant d'atteindre les toilettes.

Ma mère se tordait de rire et Nicolas, à la blague (drôle pour lui, très peu pour moi), m'a suggéré de l'avertir si j'avais encore des problèmes avec les toilettes publiques. J'ai répondu :

– C'est correct, j'ai réglé ce problème-là à sept ans, merci.

• Il y a quelques années, j'étais une fan finie des 'N SYNC, il n'y avait pas un bout de mur de ma chambre où il n'y avait pas d'affiches, et je portais des chandails, et même des lacets des 'N SYNC. Elle lui a raconté que j'avais pleuré le soir de leur spectacle parce que je n'avais pas de billet et que Justin Timberlake ne pourrait pas me voir, alors que c'était ma chance qu'il me remarque et qu'il me demande de l'épouser.

Nicolas a dit :

– Tu tripais à ce point-là sur Justin Timberlake ?

Moi : J'étais jeune ! (Me retournant vers ma mère) Bon, merci maman pour ces belles anecdotes très instructives à mon sujet. Je suis certaine que c'était effectivement d'intérêt public. Maintenant, on devrait se remettre au travail.

18 h 32

Plus tard, dans ma chambre, en train de mettre une deuxième couche de rose, Nicolas m'a dit de ne pas m'en faire avec les anecdotes de ma mère, que si j'allais chez lui, ses parents s'en donneraient aussi sûrement à cœur joie. Alors, je lui ai demandé de me révéler des choses troublantes à son sujet pour qu'on soit quittes.

Voici ce que j'ai appris :

• Au primaire, il a été obligé de porter un appareil dentaire qui s'attache sur la tête pendant six mois !

• Quand sa mère l'emmenait dans un centre commercial, il piquait des crises.

• En cinquième année, il était le seul gars de l'école à s'être inscrit au cours de ballet.

Je trouvais cette dernière anecdote assez cool et je lui ai demandé de me faire quelques pas de danse et il a catégoriquement refusé. Il a dit :

— Faire des pas de ballet dans une chambre rose… c'est un peu *too much*.

Et on a ri. Et je l'aime. P.Q.T.M. (Plus que tout au monde !) Ben… c'est juste une façon de parler. Parce que j'aime ma mère plus que tout. Et Sybil. Et Kat. Et mon père… Peut-on dire que mon père fait encore partie du « monde » ?

Mercredi 8 mars

Nicolas travaille à l'animalerie de son oncle aujourd'hui et je peins seule avec ma mère. Pendant une pause, je lis le nouveau *Miss Magazine*, que je viens tout juste de recevoir. Un article intitulé « Comment aider une amie en peine d'amour » attire particulièrement mon attention.

PSYCHO
COMMENT AIDER UNE AMIE EN PEINE D'AMOUR ?

Tu as une amie en peine d'amour et tu voudrais pouvoir l'aider à traverser cette épreuve ? Voici quelques trucs qui pourront te guider.

SOIS PATIENTE !
Il existe cinq étapes, qui correspondent à ce qu'on vit comme émotions lors d'un deuil et qui ne sont pas nécessairement vécues dans l'ordre : le déni, la colère, la culpabilité, la tristesse et, finalement, l'acceptation. Attention : ne rappelle pas à ton amie dans quelle étape de son deuil elle se trouve. Ça peut être très énervant de se faire dire : « Tu es maintenant dans la colère… » Aide-la simplement à passer à travers du mieux que tu le peux. Ton amie devra passer par toute cette gamme d'émotions avant de se sentir mieux. Entre-temps, tu ne dois pas faire pression sur elle pour qu'elle passe plus vite

d'une étape à l'autre. Seul le temps pourra aider ton amie à panser ses blessures.

SOIS GÉNÉREUSE!

Essaie de l'inviter à faire des activités qu'elle aime. Loue des films qu'elle a envie de voir ou propose-lui de faire du sport. Tu peux même lui suggérer de se trouver une passion ou un hobby, comme faire de la peinture, du dessin, de la musique, etc. Si elle s'amuse, elle aura moins de temps pour penser à son ex.

SOIS COMPRÉHENSIVE!

Tu as des petits problèmes? Ce n'est peut-être pas le bon moment pour lui en parler, elle ne sera pas réceptive. Le temps viendra où tu pourras tout lui confier comme avant, mais une peine d'amour, ça fait très mal et ton amie est dans une période où elle a de la difficulté à accorder de l'attention aux autres. Il se peut par contre qu'elle te demande de te confier, pour se changer les idées. Dans ce cas, fais ce qu'elle te dit sans rien attendre d'elle. Il se peut qu'elle soit un peu moins douée pour te donner des conseils, sois-en consciente.

SOIS RIGOLOTE!

Profites-en pour l'animer. Raconte-lui des blagues, imite tes profs, révèle-lui des potins croustillants... Bref, trouve quelque chose qui pourrait l'intéresser et la faire rire. Ça lui changera les idées. Après tout, le rire, c'est la santé!

SOIS À L'ÉCOUTE !

Il est possible que certains jours, elle ait envie et besoin de parler tandis que d'autres, elle préfère éviter le sujet. Ne la force pas. Tu verras, au début, ses émotions seront très vives, mais peu à peu elles s'estomperont. Laisse-lui savoir que tu es là pour elle lorsqu'elle ressent le besoin de se confier.

SOIS MODÉRÉE !

Même si tu détestes son ex, ne parle pas trop dans son dos. Il se pourrait un jour que, malgré le fait qu'ils aient cassé, ils reviennent ensemble. Elle pourrait t'en vouloir d'avoir dit du mal de lui. Laisse-la exprimer sa colère contre lui sans donner ton opinion. Écoute-la sans la juger et dis-lui que tu comprends sa peine.

SOIS LOGIQUE !

Essaie de limiter les dégâts ! Fais attention à ses sentiments, ne lui dis rien qui pourrait lui faire de la peine. Ce n'est pas le bon moment pour lui apprendre une mauvaise nouvelle. Attends qu'elle se sente mieux avant de lui faire de grandes déclarations.

FAIS ATTENTION À TOI !

Après avoir suivi tous ces conseils, il se peut que tu te sentes vidée. Il est nécessaire que tu ne consacres pas tous tes temps libres à ton amie en peine d'amour. Ressource-toi en faisant des activités seule ou avec d'autres amis. En te changeant les idées, tu pourras te montrer encore plus réceptive à sa peine.

Ah! Voilà bien la preuve que je fais la bonne chose en ne lui disant rien! Selon cet article, je suis une ex-cel-len-te amie en tous points! (Pourquoi alors je n'arrive pas à le faire comprendre à ma conscience?)

Il faudrait que je montre cet article à Julyanne...

15 h 17

J'appelle Kat.

Kat: Oui, allô?

Moi: Kat, ça va? Veux-tu faire quelque chose aujourd'hui?

Kat: Je ne peux pas. Je décore ma chambre avec des affiches de chevaux.

Moi (reprenant un conseil du *Miss*): En tout cas, je suis *là*, si tu as besoin de *moi*.

Kat: OK, merci.

Moi: Euh... Est-ce que Julyanne est là?

Kat: Elle est sortie.

Moi: Ah. Où?

Kat: J'sais pas, moi!

Moi: Bon, je voulais seulement faire la conversation, c'est tout!

Kat: 'Scuse. Je suis un peu à pic ces temps-ci. J'essaie de ne plus pleurer tout le temps, mais c'est difficile.

Moi: Je comprends.

Kat: Ma sœur est au parc, je pense.

16 h 37

J'ai fait le tour du parc. Ce qui m'a fait du bien, je dois l'avouer, parce que je crois que tous les effluves de peinture me montent au cerveau.

J'ai finalement réussi à trouver Julyanne et à la convaincre de me donner une semaine de plus, en appuyant mes arguments par l'article du *Miss*. Je lui ai dit que je ne pouvais rien dire à Kat pendant qu'elle était dans cet état. Julyanne a fait : « Ouain, OK. » Ce qui m'a soulagée.

Jeudi 9 mars

Ma chambre est un bordel ! Et ça pue la peinture ! Et mes meubles ne vont plus du tout avec la couleur de ma chambre ni avec le nouveau couvre-lit que ma mère vient de m'apporter.

Ma mère m'a promis qu'on m'achèterait de nouveaux meubles, mais pas tout de suite. Ce qui me convient. J'avoue que même si mes meubles ne vont plus avec la couleur de ma chambre, j'aimerais peut-être mieux les conserver.

2 juillet, sept ans plus tôt

Mes parents s'étaient mis en tête de changer mon mobilier de chambre à coucher (que je trouvais correct). Nous sommes allés tous les trois (mon père, ma mère et moi) dans une boutique de meubles. Mes parents ont vu un mobilier qui leur a plu, en mélamine gris et rose. Très laid. Ils ont commencé à négocier avec le vendeur. Je tirais les pantalons de mon père en disant : « Je n'aime pas ça. » Mais mes parents, trop pris par leur négociation, ne m'ont jamais entendue. Ils ont finalement obtenu le mobilier à bon prix et tel a été mon cadeau de fête, cet été-là. Le pire, c'est que le mobilier a toujours été trop massif pour ma chambre. Il faut mettre deux meubles l'un par-dessus l'autre pour que ça entre et c'est très envahissant !

Retour au jeudi 9 mars

Ça me ferait tout de même de la peine de mettre mon mobilier aux poubelles. Mon père a aidé à le choisir…

Vendredi 10 mars

Drame ! Pas un faux drame pour lequel on dirait « drame », genre quelqu'un aurait perdu une boucle d'oreille ou marché sur une fourmi. Vrai drame épouvantable ! J'ai perdu Sybil ! Ça puait trop la peinture et ma mère et moi commencions à nous sentir étourdies. Ma mère, sentant venir un petit malaise, a ouvert la porte et Sybil s'est sauvée. Mais trouver une chatte blanche dans la neige est quasi impossible !

13 h 44

Oh Non ! Sybiiiiiiiil ! Je l'imagine enfouie sous la neige. Congelée. Je l'imagine essayer de revenir à la maison, et avoir toutes sortes d'obstacles comme l'écureuil qui essaie d'attraper sa noix dans *Ice Age*. Pourquoi elle s'est sauvée ? Pourquoi ?????????????????????

14 h 37

J'ai cherché partout. J'ai cogné chez tous mes voisins pour leur demander s'ils avaient vu Sybil. Rien. Personne n'a vu de petite chatte blanche avec une tache grise sur le front.

15 h 12

Je suis au désespoir. Je rentre chez moi et après avoir refermé la porte d'entrée, je m'écroule par terre, en pleurs. Sybil, ma Sybil… Je lui avais juré de la protéger contre tout. Je n'ai pas tenu ma promesse. Je suis. La. Pire. Personne. De l'univers.

15 h 13

Ma mère m'a promis qu'on la retrouverait. Elle a déjà appelé plein d'organismes pour les aviser que, si jamais ils recevaient un minou correspondant à la description de Sybil, ils devaient nous rappeler.

15 h 14

Alors que je suis assise contre la porte et que je fonds en larmes, on sonne. Je me lève difficilement (parce que j'ai les jambes engourdies) et un gars de mon âge, les cheveux noirs qui descendent jusqu'en bas de ses oreilles, portant une guitare en bandoulière, me regarde avec ses yeux bleus et me demande :

– C'est ton chat ?

Il me montre Sybil qu'il tient dans une main.

Moi : Sybiiiiiiiiiiiiiiiiiiiiiiiiiil !

Je pleure de joie, et je donne plein de bisous à Sybil sans me soucier de la présence du gars.

Ma mère : Oh, merci !

Elle embrasse Sybil elle aussi.

Ma mère : Petite sacripante ! Ne nous fais plus des peurs comme ça !

Sybil essaie de se dégager de nos étreintes sans doute très étouffantes pour elle, comme si rien ne s'était passé et que c'était tout à fait normal, pour une chatte de sa trempe, de vouloir aller faire des galipettes dehors.

Le gars aux cheveux noirs : Est-ce que j'ai une récompense ?

Ma mère (sortant son portefeuille de sa sacoche) : Euh… oui. Bien sûr.

Le gars : Ben non ! C't'une *joke* !

Ma mère : Ça nous ferait plaisir.

Le gars : C'est vraiment une blague. Je ne veux pas de récompense.

Ma mère : Bon, je vous laisse, je retourne peindre.

Ma mère retourne dans sa chambre qu'elle peint – Dieu seul sait pourquoi – jaune serin.

Le gars : Je m'appelle Tommy.

Moi : Moi, c'est Aurélie.

Tommy : J'habite juste à côté. J'ai trouvé ton chat, je l'ai ramené chez moi et mon frère m'a dit que tu le cherchais.

J'ai déposé Sybil par terre.

Moi : Hein ? Je ne t'avais jamais vu !

Tommy : Je viens juste d'emménager.

Moi : T'as déménagé en plein milieu de l'année ?

Tommy : Un peu après les fêtes.

15 h 23

Sur le pas de la porte, Tommy m'a raconté que depuis le divorce de ses parents, il vivait avec sa mère. Il ne voyait presque jamais son père parce que sa mère habite à cinq heures de voiture. Il le voyait à Noël et, parfois, à sa fête. La plupart du temps, ils communiquaient par courriel ou par téléphone. Ce qui explique pourquoi je ne l'avais jamais croisé avant. Mais, depuis un an, il a exprimé à sa mère son désir d'habiter avec son père. Il voulait le voir plus souvent et apprendre à connaître son demi-frère et sa demi-sœur. Sa mère en a été très bouleversée. Après un an de négociation, elle a laissé Tommy partir. Il dit qu'elle lui manque, mais qu'il est content d'habiter ici.

15 h 24

Tommy : Tu ne vas pas à l'école Louis-de-Bellefeuille ?

Moi : Non, je vais dans une école privée… de filles.

Tommy : Ah. Ben, on ne se verra pas là, d'abord.

Moi : Non, hi hi. Ben, merci pour mon chat.

151

Tommy : De rien.

Sybil se donne un élan pour se sauver de nouveau par la porte ouverte et je me retourne pour la prendre dans mes bras.

Tommy tourne les talons pour partir et, avant que je ferme la porte, il me lance :

– T'es pas mal callipyge.

Rapport de m'insulter ? Qu'est-ce que je lui ai fait ?

Moi : Pfff ! Toi-même !

Tommy : Merci.

Hein ?!?

Je monte dans ma chambre et je prends mon dictionnaire. Je tourne les pages frénétiquement et je trouve la définition : « Qui a de belles fesses. »

Je rougis.

Mais, oups. Je lui ai dit « toi-même » ! Ça veut dire qu'il croit que je pense qu'il a des belles fesses ! Je ne les ai jamais vues ! Et, en passant, même si je les avais trouvées belles, je n'aurais jamais dit ça. Il n'est vraiment pas gêné, lui !

Samedi 11 mars

En revenant du dépanneur, où m'a mère m'a envoyée chercher du lait alors qu'il fait vraiment froid (est-ce un cas pour le Directeur de la protection de la jeunesse ?), j'ai croisé Tommy. Il m'a invitée chez lui. J'y suis allée après avoir rapporté le lait à ma mère, mais j'ai pris soin de tirer mon manteau sur mes fesses pour qu'il ne les voie pas. Et j'ai souhaité de tout mon cœur qu'on ne reparle jamais de ça. D'ailleurs, peut-être même qu'il a oublié.

Tommy : As-tu cherché « callipyge » dans le dictionnaire, finalement ?

Merde !

Moi : En passant, j'ai un chum.

Ce qui devrait stopper toute ambiguïté. Je lui ai dit que je le considérais comme un *voisin*. Et que je refusais toute allusion à ce mot ou à ce qu'il signifie. Il a juste ri.

14 h

Dans le sous-sol de Tommy, il y a deux guitares et une collection impressionnante de vieux disques vinyles. Sa chambre y est aussi située.

Moi : Pourquoi t'as tous ces disques ?

Tommy : Sont à mon père. Il tripe musique. C'est pour ça que j'ai voulu revenir vivre avec lui. On partage cette passion. Et j'avais envie de connaître Noah et Charlotte, mon demi-frère et ma demi-sœur.

14 h 25

Tommy a pris sa guitare et il a commencé à l'accorder.

14 h 31

Pendant que Tommy joue des chansons que je ne reconnais pas, je fouille dans ses disques.

Moi : Tommy… c'est un surnom pour quel nom ?

Tommy : C'est mon vrai nom, au complet.

Il dépose sa guitare, fouille dans sa poche arrière, sort son portefeuille et me montre sa carte d'étudiant pour prouver son identité.

Moi : Aaaaaaaah ! T'es donc ben drôle sur ta photo !

Tommy : Je venais de me faire couper les cheveux ! Montre la tienne.

Moi : Jamais ! Je suis affreuse ! J'ai toujours pensé que le système de photos devient défectueux quand j'arrive devant.

Tommy : C'est clair !

Je regarde attentivement sa carte.

Moi : Tommy… Durocher.

Tommy : Mes parents tripaient sur un opéra rock qu'ils ont vu à New York. Ça s'appelle *Tommy*. C'est pour ça qu'ils m'ont appelé de même. Toi, pourquoi tu t'appelles Aurélie ? C'était le nom de ta grand-mère ?

Moi : Ha. Ha. Non… La nuit avant l'échographie de ma mère, mon père a rêvé que l'infirmière qui ferait l'échographie aurait les cheveux noirs très foncés et qu'elle leur apprenait que leur bébé était une fille et, toujours dans son rêve, l'infirmière leur demandait comment ils allaient m'appeler et mon père a répondu : « Aurélie. » Quand ils sont arrivés à la vraie échographie, l'infirmière avait les cheveux noirs très foncés, et quand ils ont appris que j'étais une fille, mon père a raconté son rêve à ma mère et ils ont décidé de m'appeler comme ça.

Après avoir raconté cette anecdote, j'ai commencé à avoir le motton parce que je pensais à mon père. Quand je pense à lui, j'ai l'impression que le sol aspire mes pieds et je ressens un vertige. J'ai essayé de contrôler ma respiration pour me calmer et ne pas pleurer devant Tommy (un pur inconnu, après tout).

Tommy: Ça va?

Moi: Oui, c'est juste que je pense que j'ai des allergies.

Tommy: À quoi?

Moi: À la... poussière. Tu ne fais pas le ménage souvent, ici.

Beuh! Je sonne comme ma mère!

14 h 35

Tommy a couru vers mon sac, il a trouvé mon portefeuille et a sorti ma carte d'étudiante.

Tommy: Aurélie... Laflamme... Tu n'es pas affreuse du tout sur ta photo, tu capotes! 'Scuse-moi d'avoir dit que c'était un nom de grand-mère.

Moi: C'est correct. 'Scuse-moi d'avoir dit que ton nom était un surnom.

Tommy: Ça te dérange si je t'appelle Laf?

Moi: Oui.

Note à moi-même: Ça me dérange, mais j'avoue quand même que ça me fait rire.

14 h 36

Rire m'a fait du bien. Tout en tentant de respirer de mieux en mieux, je lui ai simplement dit pour mon père et, sans rien dire, il a commencé à jouer les premiers accords de *Sometimes You Can't Make It On Your Own* de

U2 en m'apprenant qu'en spectacle, Bono dédiait souvent cette chanson à son père décédé.

14 h 37

Soudain, Bono m'a fait penser au perroquet de l'oncle de Nicolas. Le perroquet de l'oncle de Nicolas m'a fait penser à Nicolas. Et le fait de penser à Nicolas m'a rappelé que j'avais rendez-vous avec lui. Alors je suis sortie en trombe de chez Tommy en lui disant qu'il fallait absolument que je parte et je suis arrivée en retard chez Nicolas.

14 h 59 (Quatorze minutes après l'heure de notre rendez-vous: courir dans la neige n'est pas évident).

J'ai expliqué à Nicolas que j'étais chez mon nouveau voisin, Tommy, et que je n'avais pas vu le temps passer. Au début, je voyais le doute dans ses yeux, mais il a finalement dit:

– L'important, c'est que tu sois là maintenant.

20 h

Nicolas et moi, on a regardé (à peine) un film (lequel?) collés (surtout) jusqu'à ce que son frère (qui m'énerve) revienne. Puis, je suis revenue chez moi dans ma chambre qui pue (de moins en moins) la peinture et j'ai lu (sans aucune concentration) des *Archie* (c'était peut-être autre chose, mais je ne m'en suis pas rendu compte) jusqu'à ce que je m'endorme (en pensant à Nicolas).

Dimanche 12 mars

J'ai une idée de génie! Tommy est un gars assez cool, je vais le présenter à Kat! Ils sont parfaits l'un pour l'autre!

Midi

Ma mère m'a dit qu'elle aimait beaucoup nos nouvelles couleurs de maison. Elle m'a aussi dit qu'elle sentait que ç'allait apporter de nouvelles énergies positives. Je lui ai répondu:
– Bof, c'est juste des nouvelles couleurs.
Et elle a dit:
– Rabat-joie!
Et elle m'a chatouillé comme si j'avais six ans! Franchement!
HIHIHIHHIHIHIHIHIHIHIHIHIHI HIHIHIHIHIHIHIHIHI! Ça chatouille trop!!!

Lundi 13 mars

La semaine de relâche a été très bénéfique. Je ne sais pas si ce sont les effluves de peinture qui ont donné du pep à mon cerveau, mais je me sens ravigotée. Toute prête à apprendre plein de nouvelles notions!

10 h 30

Finalement, l'effet de la peinture semble avoir été de courte durée. Il n'a suffi que du cours de maths pour remettre mon cerveau dans le formol. Même avec la plus grande prédisposition et plein d'enthousiasme, après dix minutes d'écoute active, je sens que mon cerveau devient en ébullition, mais pas dans le bons sens, dans le sens que je sens des bulles très épaisses faire « bloup », un peu comme dans un marécage.

18 h 32

Après le souper.

Moi : M'man, je crois que j'ai un méga problème.

Ma mère : Ah oui, lequel ?

Moi : Je suis poche à l'école.

Ma mère : Tu n'es pas poche, tu n'arrêtes pas d'améliorer tes notes.

Moi : Mais je te jure, ça va mal. Je sens que je suis au maximum de mes capacités cérébrales et, malheureusement, elles ne sont pas élevées.

Ma mère : Je pense que tu manques d'intérêt dans tes cours parce que tu es… amoureuse ! Parlant d'amour, j'ai quelque chose à te dire. (Elle a commencé à parler avec empressement.) Imagine donc que mon boss, François Blais… Tu te souviens ? Je t'avais déjà parlé de lui. En tout cas. Eh bien, une fois, il a vu ma fiche sur le site de rencontres et il m'a envoyé un courriel en disant : « Est-ce que je suis ton genre ? » Mais c'était pour rire. Et on a ri. Finalement, on faisait bien des blagues au bureau avec ça et… on riait.

Moi : Je t'ai dit que j'avais de la difficulté à l'école, mais ça ne veut pas dire que je suis niaiseuse, quand même! Vous avez beaucoup ri, là, j'ai compris.

Ma mère: En tout cas, bon. Tout ça pour dire que... On sort ensemble.

Moi: Quoi?!?!

Ma mère: Je ne t'en ai pas parlé avant parce qu'il n'y avait rien d'officiel. Mais on s'est beaucoup rapprochés. On va souvent dîner ensemble, on a eu quelques sorties et... voilà. On a toutes les deux un chum, c'est chouette, hein?

Moi: Chouette?

Ma mère: Ah, 'scuse, je voulais dire cool, bien sûr. Et je l'ai invité à souper vendredi. Tu peux inviter Nicolas, si tu veux.

19 h 01

Je suis encore dans la même position que lorsque ma mère m'a annoncé qu'elle avait un chum. Maintenant, je suis certaine qu'il y a un dysfonctionnement dans mon cerveau, car il n'arrive plus à donner les consignes à mes membres pour bouger.

L'histoire d'amour de ma mère (selon ma perception): Donc... vers la mi-février, ma mère a pris la décision d'arrêter de *chatter*. Elle était heureuse et bien dans sa peau et François Blais (Blèh-Blèh-Blèh) en a profité pour lui mettre le grappin dessus (vu qu'elle est sans doute la plus *hot* du bureau).

Conclusion: François Blais, c'est Satan. Et elle pourrait le poursuivre pour harcèlement.

159

Ma mère a un chum. Ma mère a un chum? Ma mère a un chum! Ma mère a un chum… Je me demande si je devrais cacher les strings que j'avais trouvés. Ma mère a un chum, et elle porte des strings DEVANT LUI! Oh! Mon Dieu! Que de traumatismes!

Midi

Kat commence à aller mieux. Elle dit que sa passion des chevaux la remplit de joie comme rien ne l'a remplie de joie auparavant. D'ailleurs, quand je lui ai dit pour ma mère, elle m'a dit que je devrais essayer de mettre des affiches de chevaux dans ma chambre moi aussi. Sauf que je ne sais pas si je partage sa passion. Les chevaux, ça me fait un peu peur. Je préfère Sybil. Kat rêêêêêve d'avoir un cheval. Elle dit que, si elle en avait un, ce serait une jument et qu'elle l'appellerait Betty Boop.

Moi: C'est ta fête bientôt, non?

Kat: C'est ce que j'ai demandé! Ça coûte cher, mais quand je leur ai dit que j'en voulais un, j'ai vu mes parents sourire alors j'ai comme eu l'espoir qu'ils avaient peut-être mis le budget vu que je vais avoir quinze ans et que c'est un anniversaire important.

Moi: C'est un anniversaire important, quinze? Je croyais que c'était seize et dix-huit.

Kat: Non, c'est quinze et dix-huit.

Moi: Ou dix et dix-huit.

Kat: Peu importe! Je veux un cheval!

Mercredi 15 mars

Pendant le cours de maths, Kat m'écrit un mot pour m'inviter à son anniversaire samedi prochain. Son mot est vraiment gentil. Elle s'excuse de ne pas avoir été du monde ces temps-ci. Elle me raconte à quel point elle avait de la peine et qu'elle était incapable d'être elle-même. Mais elle ajoute qu'elle se sent mieux maintenant et qu'elle est chanceuse d'avoir une amie compréhensive comme moi. Elle dit qu'à son anniversaire, elle veut qu'on soit juste toutes les deux avec sa famille.

10 h 30

En bio, sœur Rose nous parle du fonctionnement du cerveau et du système nerveux.

Sœur Rose: Les influx nerveux se rendent dans différentes zones du cerveau où ils sont alors analysés. Le cerveau commande alors la contraction de muscles ou la sécrétion d'hormones selon le stimulus à l'origine de l'influx nerveux. Prenez votre manuel, page cent soixante-treize.

10 h 46

La lettre de Kat a envoyé un message à mon cerveau que je suis une amie nulle et mon cerveau a commandé toute une série de punitions. Voilà pourquoi je me sens si tendue et mal à l'aise. Ma vie est un cours de bio.

10 h 48

Sœur Rose: Comme vous pouvez le lire, l'hémisphère gauche contrôle le langage, les aptitudes en mathématiques et l'hémisphère droit... Aurélie Laflamme, peux-tu nous dire ce que contrôle l'hémisphère droit ?

Moi : L'hémisphère quoi ? Droit ? Euh... (Je regarde rapidement dans mon manuel alors que mon cerveau est resté sur la fonction « sécréter des hormones de malaise » et pas juste parce que j'ai menti à Kat.) L'hémisphère droit est dominant pour les aptitudes musicales ou artistiques, l'imagination, euh... et la production d'images mentales.

En passant, je lis comme une enfant de pré-maternelle qui ne sait pas lire.

Sœur Rose : Très bien. Alors, Aurélie Laflamme, pendant le cours de bio, essaie de te servir de ton hémisphère gauche et non du droit. Hi ! hi ! hi !

Comme chaque fois qu'elle fait une « blague », elle met sa main devant sa bouche et rit doucement pendant un temps qui me semble interminable (surtout qu'elle rit de moi) et j'entends en sourdine d'autres rires dans la classe, alors je me cale sur mon siège.

Note à moi-même : C'est quoi le problème, au juste, avec mon cerveau ?

Note à moi-même n° 2 : Je me demande si le cerveau s'habitue aux HUMILIATIONS PUBLIQUES. Grrr.

Midi
Kat : Pis, viens-tu à ma fête ?

Mon cerveau sécrète soudainement une grande quantité d'hormones (je sens mes mains devenir moites) selon le stimulus à l'origine de l'influx nerveux (mes mensonges).

Moi : Kat, je ne suis pas digne de ton amitié ! Je sors avec Nicolas depuis un mois et demi ! Je comprendrais si tu ne veux plus jamais me parler !

Et je me sauve en courant, au bord des larmes.

12 h 45

J'ai la tête enfoncée dans mon casier et j'essaie de reprendre mon souffle (ça pue là-dedans, il faudrait sérieusement que je songe à faire le ménage). On me tape sur l'épaule. Je me retourne. C'est Kat. Je rentre de nouveau la tête dans mon casier, honteuse.

Kat : Sors de là !

Moi (avec une voix qui sonne comme le bonhomme Carnaval vu que j'ai toujours la tête dans la case) : Non.

Kat : Je ne veux pas parler à une fille avec une tête de casier !

Moi : Je suis une traîtresse ! (Je sors soudainement la tête du casier.) Hé ! Enferme-moi là-dedans une journée et on sera quittes !

Kat : Je n'enfermerai certainement pas ma meilleure amie dans son casier !

Moi : Je… suis encore… ta meilleure amie ?

Kat : T'aurais dû me le dire !

Moi : J'avais peur de te faire de la peine…

Kat : Tu pensais que j'aurais de la peine ?

Moi : Oui… Et j'avais peur que tu sois fâchée.

Kat : Franchement !

Moi : T'avais l'air tellement contente de faire un pacte.

Kat : Je crois que j'avais tellement de peine que je voulais faire couler tout le monde avec moi. Comme ça, tu sors avec Nicolas, hein ? C'est trop cool ! Il est super ! Je pense que si tu n'étais jamais sortie avec lui, là, j'aurais été fâchée.

Moi : Tu n'es pas fâchée ?

Kat : T'sais, je vais avoir quinze ans, je crois qu'une de nous deux doit être mature et, comme c'est moi la plus vieille, c'est normal que ça arrive avant.

Moi : Ha. Ha. OK, je le mérite.

Kat : Pis… pour te dire la vérité, je n'ai plus de place dans mon cœur pour des émotions négatives. Je pense que t'avais des bonnes intentions. Tu ne voulais pas me faire de la peine. Ça me touche.

Moi : Fait que… tu m'invites à ta fête quand même ?

Kat : Solide ! Je ne fais pas de fête si tu n'es pas là. Mais n'invite pas Nicolas, OK ? On fait un party de filles. Je ne *feel* pas, je veux juste qu'on soit toi, moi et ma famille, obligatoirement parce que je *vis* avec eux…

Moi : Il y a un pacte que je peux faire, moi : je ne serai jamais le genre de fille à amener mon chum partout et à ne sortir que s'il est là !

Kat : J'ai un meilleur pacte : on ne fait plus de pacte !

Moi : Ah, OK, c'est mieux, ouain. À moins qu'on fasse le pacte de se dire toujours la vérité ?

Kat : Plus de pacte ! Sauf celui qu'on reste les meilleures amies du monde *4 ever and ever.*

164

Parce que sans chum et sans meilleure amie, il faudrait que j'en mette en mautadit des chevaux sur mon mur pour oublier ma tristesse.

Moi : Hoooon !

13 h 30

Kat et moi, on s'est serrées dans nos bras super-longtemps et, quand la cloche a sonné, on s'est rendu compte qu'il n'y avait plus personne aux casiers et qu'on était en retard pour le prochain cours.

Chose importante à me rappeler : J'ai la meilleure amie du monde !!!!!!

Vendredi 17 mars

J'ai essayé de me concentrer tant bien que mal à l'école aujourd'hui, mais j'avoue que c'était difficile vu que je n'arrêtais pas de penser au souper de ce soir avec le nouveau chum de ma mère. Comment j'ai pu ne pas me rendre compte qu'elle était amoureuse ? Peut-être qu'elle n'est *pas* amoureuse. Ça se peut. C'est son gars de transition, disons. Elle n'est sortie avec personne depuis le décès de mon père, alors elle fait peut-être juste des essais, du « magasinage de messieurs ». Kat m'a dit de prendre ça cool. Facile à dire pour elle, madame « j'ai-trouvé-une-nouvelle-zénitude-grâce-aux-chevaux ».

18 h

Ma mère et moi attendons François Blais. Nicolas n'a pas pu venir parce qu'il travaille. Ma mère est tout excitée (pas parce que Nicolas travaille, mais parce que François Blais s'en vient). Pour ma part, je suis de glace. Après tout, ce n'est qu'un chum transitionnel. Ma mère ne semble pas croire la même chose, vu son attitude (sa voix est plus aiguë que d'habitude de cinq octaves au moins), mais elle le réalisera rapidement et tout redeviendra normal dans la maison qui, en passant, est fabuleuse avec les nouvelles couleurs.

18 h34

Ah! François Blais a un énooooooorme défaut! Il n'est pas ponctuel! Il est arrivé à 18 h 34, alors que ma mère lui avait demandé d'être là à 18 h 30. Pas fiable!

18 h 35

Beurk! Il m'a embrassée sur les joues. Il ne me connaît même pas! Et ça pique!

18 h 45

François Blais est beau bonhomme. Il est assez grand, mince (il doit être du genre à s'entraîner dans un gym), il a les cheveux noirs et gris, mais il a un visage jeune (je suis certaine qu'il se fait bronzer à son gym : quétaine). Mais, une chose est sûre : VRAIMENT PAS PLUS BEAU QUE MON PÈRE.

18 h 50

Ma mère a fait des côtelettes de porc. Chaque bouchée est difficile à avaler.

18 h 55

Je crois que mon cerveau capote et ne sait plus comment contrôler mes influx nerveux. (À mettre à mon agenda : Demander à sœur Rose si c'est normal.)

J'ai su, racontée de la bouche de François Blais en personne, la vraie version de l'histoire d'amour de ma mère.

Apparemment, ma mère et François Blais se sont bien entendus dès le premier jour de leur rencontre. François Blais est arrivé au bureau de ma mère il y a environ trois ans – donc après que mon père soit décédé – pour remplacer Michel Larouche, le boss de l'époque, qui prenait sa retraite. François Blais et ma mère ont tout de suite cliqué (c'est le mot de François Blais) et ils se sont rapidement découvert une complicité mutuelle (professionnelle, j'imagine). Ils allaient même quelquefois ensemble à des événements ou encore tout simplement prendre un verre dans un 5 à 7 (ce qui explique pourquoi ma mère rentrait parfois un peu tard, totalement inconsciente de ses responsabilités parentales). François Blais a donc toujours tripé sur ma mère (voilà bien un cas de harcèlement), mais il ne l'a jamais cruisée. Il lui a récemment révélé qu'il ne l'avait jamais fait, par respect parce qu'elle était veuve (pfffff!). Mais quand il a appris qu'elle cherchait à rencontrer quelqu'un et qu'elle s'était même inscrite sur un site de rencontres, il a tout fait pour se faire valoir comme prétendant potentiel. Sans insistance, il l'a invitée à sortir, à prendre des verres et, quand ma mère lui a annoncé qu'elle se désabonnait de son site de rencontres, il a sauté sur l'occasion pour lui avouer ses sentiments (si on change «sur l'occasion» par «dessus», là, on a un cas de harcèlement au travail! Ha!). Il a ajouté qu'il l'avait remarquée depuis longtemps, mais qu'il attendait qu'elle soit prête.

N'im. Por. Te. Quoi.

Alors que mon visage n'est capable d'esquisser qu'un faible rictus, ma mère roucoule comme une tourterelle et son timbre de voix est tellement aigu que je suis certaine que seuls les chiens peuvent vraiment comprendre ce qu'elle dit.

Note à moi-même: J'avoue que l'histoire de François Blais est trop convaincante pour un cas de harcèlement au travail. Et, à en juger par son comportement, ma mère n'aurait aucune crédibilité comme témoin.

19 h 05

L'heure de la vengeance a sonné. Alors que ma mère et François Blais se parlent avec des étincelles dans les yeux, j'ai pensé qu'il était temps que je rende la monnaie de sa pièce à ma mère et j'ai fait la même chose qu'elle avait faite avec Nicolas. Si François Blais est aussi super que, disons, Nicolas, il acceptera les défauts de ma mère sans broncher. S'il est diabolique, comme je le soupçonne de l'être sous ses airs d'homme parfait, il révélera alors sa vraie nature.

Secrets sur ma mère que j'ai révélés à François Blais en guise de mini-vengeance personnelle:

• Elle enregistre *Top modèles* TOUS les jours.

• Elle a oublié un millier de fois les clés dans sa voiture, portes fermées.

• Elle peut traverser un pont quatre fois aller-retour en essayant de sortir d'une ville.

• Elle laisse sécher des citrons et des pommes grenades sur le comptoir parce qu'elle trouve ça « joli ».

• Avant qu'elle ait un téléphone cellulaire, elle apportait dans sa voiture un téléphone fixe – seulement le récepteur avec le fil – pour avoir l'air de parler à quelqu'un si elle voyait une voiture louche. (Personnellement, je pense qu'elle aurait pu avoir l'air d'une évadée d'un hôpital psychiatrique parce que tout le monde se rendait compte que c'était un téléphone fixe et qu'elle avait l'air de parler toute seule.)

• Elle est certaine que des gens tentent continuellement de fouiller virtuellement dans son ordinateur pour l'espionner.

• Elle pète quand elle a le fou rire.

19 h 15

François Blais riait tellement qu'il m'a suppliée d'arrêter. Ma mère, de son côté, riait jaune. (Peut-être qu'elle n'osait pas rire plus parce qu'elle avait peur de péter. Haha !)

19 h 16

Le fait qu'il ait bien réagi ne signifie pas qu'il est vraiment un bon chum pour ma mère. S'il est le diable en personne, il ne se laissera pas décourager par des fruits séchés, de la paranoïa et quelque pets !

21 h 16

Ça fait déjà une heure que je suis dans ma chambre en train de faire semblant de lire des *Archie* alors que ma mère et F. B. sont dans le salon et que j'essaie d'entendre leur conversation. Après le départ de F. B., ma mère est venue me voir.

Ma mère (dans l'embrasure de la porte) : Pis, comment tu le trouves ?

Moi : Pas pire.

Ma mère : Pas plus que ça ?

Moi : Ben… correct, là.

Ma mère : Il t'a trouvée super, en tout cas. Pis, en passant, j'ai compris la leçon. On ne dit plus nos petits secrets.

Et elle fait comme si elle avait une fermeture éclair sur la bouche et referme ma porte.

Samedi 18 mars

Avec tout ça, je n'ai pas eu le temps d'acheter un cadeau à Kat. Ce qui serait vraiment cool, ce serait d'avoir une machine à voyager dans le temps pour que je puisse rattraper le temps perdu. Il me semble que je suis toujours à la dernière minute. Techniquement, sa fête est le 22 mars, alors je pourrais lui donner son cadeau à l'école mercredi. Hum… Pas *hot*. Je vais aller magasiner, puisqu'il le faut !

14 h 13

Je cours dans le centre commercial. J'ai trouvé une belle affiche de cheval et un collier avec un cheval en pendentif. Je cherche désespérément du papier d'emballage, sans succès. Il ne me reste plus beaucoup de temps, Kat m'a dit d'arriver vers quinze heures. Alors, je quitte le magasin et je vais m'arranger.

Moi (de ma chambre) : Mamaaaaaaan ? Est-ce qu'on a du papier d'emballage ?

Ma mère (de la cuisine) : Seulement de Noël, Choupinette !

Moi : Ah ! Arrête de m'appeler « Choupinette » !

Je n'ai pas de papier d'emballage, merde ! Ni de carte !

15 h

J'arrive chez Kat. Julyanne ne semble plus vraiment fâchée contre moi, mais ne me copie plus, ce qui est une bonne chose.

Kat m'emmène dans sa chambre et chuchote :

— Tu sais ce que mes parents m'ont dit ?

Moi : Non.

Kat : Ils ont une super-belle surprise qui va arriver à seize heures. Je crois que c'est un cheval ! Tu imagines ! Un cheval ! Betty Boop !!! J'espère qu'elle est brune ! Avec une belle crinière brune !

15 h 30

Kat est tellement anxieuse qu'elle n'arrête pas de renverser des choses dans la maison. Sa mère lui a permis d'ouvrir quelques cadeaux, en attendant sa « grosse surprise ». Je dois admettre que Kat a peut-être raison, peut-être que ses parents lui ont acheté un cheval, ils ont l'air vraiment contents de leur surprise.

Kat a reçu un t-shirt de sa sœur et un pantalon de ses parents. Je lui ai par la suite tendu mon cadeau, enveloppé dans une vieille taie d'oreiller, en lui conseillant de lire la carte en premier (une carte que j'ai fabriquée moi-même en pliant une feuille mobile en deux et en écrivant « Bonne fête Kat ! » à côté de trois ballons dessinés sans aucun talent.

Chère Kat,

Tu es pour l'environnement, non ?

C'est ce que je me disais, aussi… C'est pour ça que je n'ai pas emballé ton cadeau. Le papier d'emballage, c'est très peu écologique. Détruire un arbre seulement pour camoufler un cadeau, pour un effet de surprise ? Je dis : « Contre ! » Si la planète explose et que nous avons perdu toutes nos ressources naturelles et que nous avons un procès devant Dieu et qu'il nous demande : « Coudonc, Humains, quéssé que vous avez fait avec les arbres ? » et qu'on répond : « Ben… il y a les journaux, le papier hygiénique, sans oublier le papier d'emballage, pour ne pas gâcher l'effet de surprise d'un cadeau… », il va nous trouver twits en mautadit !

Bonne fête !

Ta best 4 ever,
Aurélie
xxx

Kat a ri en déclarant :
— Je ne savais pas que tu étais écolo !

Je lui ai répondu que, depuis quelque temps, je visitais un blogue écologique (sans toutefois préciser que ma seule intervention avait été pour annoncer que j'ai un chum, hi hi.)

15 h 45

Kat a été très touchée par mes cadeaux non emballés. Elle a immédiatement enfilé son collier.

15 h 55

Kat saute presque sur place. Sa mère semble très contente que sa surprise crée un tel effet d'attente chez sa fille.

16 h

Toujours pas de surprise. Kat n'en peut plus. Je crois que lorsque son cheval va arriver, elle va s'évanouir.

16 h 02

On sonne à la porte. Kat répond. Un clown portant un énorme bouquet de ballons la bouscule et crie :
– C'EST QUI, LA FÊTÉE ?
Sans se préoccuper du clown, Kat regarde dehors pour chercher un camion assez grand pour contenir un cheval. Elle ne voit rien. Elle me regarde, médusée.

16 h 15

Le clown déclame un poème chanté à Kat qui regarde toujours par la fenêtre. Personnellement, je trouve le clown un peu épeurant. La mère de Kat sourit à pleines dents, toute fière de son idée.

Le clown s'en va après que le père de Kat lui a donné un généreux pourboire.

Mère de Kat : Pis, ma grande ? Tu es contente de ta surprise ?

Kat : Quoi, c'était *ça*, ma surprise ? Un clown ?!???!!!

Mère de Kat : Tu n'es pas contente ?

Kat ne sait pas quoi dire. Elle ne veut pas faire de peine à sa mère pleine d'attentions à son égard, mais elle est incapable de dire qu'elle a apprécié la présence d'un clown pour son quinzième anniversaire. Sa mère lui tend alors une enveloppe. Kat l'ouvre. Je regarde par-dessus son épaule. C'est une brochure de camp d'équitation.

Kat : Maman ? Papa ?

La mère de Kat a les larmes aux yeux. Et Kat est sur le point de s'évanouir.

Mère de Kat : C'est un des meilleurs camps. Tu vas apprendre comment monter un cheval, le laver, le nourrir… Tu vas passer un mois là-bas !

Kat : Tout un… Tout un… mois ?

Kat fond en larmes et saute dans les bras de ses parents qui eux aussi semblent émus. Julyanne et moi nous regardons et je dis :

– Tu pourras mettre ton collier de cheval au camp !

Et Julyanne crie, avec une voix lancinante :

– Moi aussi, je veux y aller !

Et son père, se croyant drôle, dit :

– Maintenant, on va vraiment pouvoir te dire d'arrêter de monter sur tes grands chevaux.

Ce qui a un peu pété la balloune de Kat, qui l'a regardé en ayant l'air de dire: «Meh, rapport?!?», mais qui s'est sans doute abstenue par politesse, étant donné le superbe cadeau qu'il venait de lui offrir.

Constatation: Je crois que plus on devient adulte, plus on cherche à montrer l'étendue de notre intelligence en faisant des jeux de mots pas rapport. Ce qui est souvent malhabile, à mon avis. J'ai conservé cette constatation pour moi, parce qu'après ce cadeau, impossible que Kat cherche encore des poux à son père, ce qui est une bonne chose vu que selon moi, il est le père le plus cool que je connaisse, après le mien, bien sûr.

20 h
Kat, Julyanne et moi nous sommes amusées à respirer l'hélium des ballons apportés par le clown et à parler avec une petite voix. On a ri comme des folles jusqu'à ce que les parents nous suggèrent d'arrêter. Avec l'accord de Kat, je suis repartie chez moi avec quelques ballons. J'ai pensé que Sybil aimerait bien jouer avec.

Mardi 21 mars

On dirait que Kat ne pense plus du tout à Truch. Elle passe tous ses temps libres à lire la documentation de son camp d'équitation. Elle a peur que je m'ennuie d'elle pendant qu'elle sera partie cet été. Je lui ai dit de ne pas s'inquiéter. J'ai Sybil, un chum et maintenant un voisin. J'en ai profité pour lui parler un peu de Tommy (mettant secrètement en branle mon plan d'entremetteuse).

14 h 37

En éduc., on jouait au soccer et, à un moment donné, pendant un instant de totale inattention, j'ai pris le ballon et je l'ai lancé par erreur dans un des paniers de basket. Manon, qui croyait que je faisais ça pour être rebelle alors que j'étais dans la lune, m'a envoyée au bureau du directeur.

14 h 50

Je me suis changée avant d'aller au bureau de Denis Beaulieu. Je n'aurais pas aimé qu'il me voie dans mes vêtements (laids) de sport. Je préfère de loin l'uniforme de l'école.

Denis Beaulieu (en soupirant): Aurélie Laflamme… Encore toi.

Il s'assoit à son bureau et m'invite à faire de même. Je prends un élastique en caoutchouc qui est juste devant moi sur son bureau et je commence à jouer nerveusement avec.

Moi: Je vous jure que j'étais dans la lune et que, l'espace d'un instant, j'ai cru qu'on jouait au basket. Je ne voulais pas…

Denis Beaulieu: Je vois.

Moi: C'est vrai!

Je joue avec l'élastique encore plus frénétiquement.

Denis Beaulieu: Aurélie, je vais te dire un secret. Je trouve que tu es une fille très

176

intelligente. Peut-être la meilleure élève de cette école.

Moi : Moi ? Vous devez vous tromper…

Denis Beaulieu : Non, je le pense vraiment. Tu es intelligente comme un singe ! Mais tu ne te forces pas. Tu es distraite en classe. Et sur le plan du comportement…

J'approche l'élastique de ma bouche et je le tire avec mes dents.

Moi : Je crois que j'ai un dérèglement chimique… du cerveau. Pensez-vous que je devrais passer un scanner ?

Denis Beaulieu : Non. Ce que je veux, c'est que tu arrêtes de faire la comique et que tu t'appliques. Que tu étudies tous les soirs et que tu finisses l'année avec des notes dans les 90 %.

Moi : Impossible !

Pensant que ma mère me dirait sans doute que l'élastique est rempli de germes, je le sors de ma bouche et je le tire avec mes pouces.

Denis Beaulieu : Oui, c'est possible ! Je suis prêt à te mettre en retenue tous les soirs de l'année s'il le faut, juste pour te forcer à étudier.

Moi : Mais j'étudie ! C'était même dans mes résolutions de l'année !

Denis Beaulieu : Il faudrait que…

Soudain, l'élastique glisse, m'échappe des doigts et se dirige tout droit sur le front de Denis Beaulieu. Je pince les lèvres et tourne les yeux sur le côté.

Moi : Oups.

Denis Beaulieu se tapote un peu le front à l'endroit où l'élastique l'a pincé et prend une grande inspiration.

Denis Beaulieu : Je ne te donnerai pas de retenue, mais je veux voir des résultats. Je veux voir tes notes augmenter et si, d'ici un mois, rien n'a changé, je vais sévir. Je veux que tu saches que je fais ça pour t'encourager. Je vais également aviser France… ta mère.

15 h 01

Je sais très bien qui est France ! Hum… Avant les fêtes, je croyais qu'ils sortaient ensemble, mais j'avais peut-être mal perçu ce qui se passait réellement, c'est-à-dire que Denis Beaulieu est amoureux fou de ma mère ! Et il veut que j'améliore mes notes pour ne pas sortir avec une femme dont l'enfant a des notes inférieures à 80 % (sauf en français et en arts plates, mais cette dernière matière ne compte pas vu le système de notes de Louis).

15 h 02

Avant de sortir de son bureau, je dis :
– Ma mère a un chum.
Denis Beaulieu : Est-ce qu'il s'occupe lui aussi de ton éducation scolaire ?
Moi : Euh… non.
Denis Beaulieu : Dans ce cas, je vais seulement parler à ta mère.
Il prend l'élastique et me le montre en disant :
– Ça ne te dérange pas trop que je jette ça ?
Je fais timidement non de la tête, je courbe mes épaules et je sors.

Conclusion (d'après ma conversation avec Denis Beaulieu) : Je suis un génie qui s'ignore !

Destruction de ma conclusion: Si j'étais *vraiment* un génie, je ne l'aurais pas *ignoré.*

Questionnement: Je me demande comment Nicolas fait pour travailler *et* étudier. Ça doit être un *vrai* génie.

Conclusion de mon questionnement: Je sors avec un génie (à défaut d'en être un moi-même)!

Mercredi 22 mars

Je n'ai plus de vie. Ma mère veut même que j'arrête d'écouter la télé en semaine (marâtre!). J'ai même averti Nicolas que je devais améliorer mes résultats scolaires et qu'on ne pourrait pas se voir autant. Il a dit qu'il ferait la même chose et qu'il se concentrerait davantage sur ses études. Deux vrais *nerds*! Hum… ça me fait penser aux bonbons Nerds. Ça c'est bon! (J'y pense, mais je ne peux plus en manger, ma mère surveille mon alimentation et dit que le sucre nuit au bon fonctionnement du cerveau. Je suis obligée de manger des légumes et toutes sortes de choses dégueu. Je suis vraiment une martyre.)

P.-S.: C'était le véritable anniversaire de Kat aujourd'hui. On n'a pas pu fêter ça adé-quatement avec des Nibs, comme à notre habitude, parce que ce genre de plaisir m'est maintenant interdit. Soupir.

Jeudi 23 mars

Ma mère a cessé d'enregistrer *Top Modèles*. Si, un jour, je vais à l'université, je vais faire une thèse de doctorat sur l'amour qui change les êtres humains (moi y compris). Quoiqu'en ce qui concerne *Top Modèles*, ce n'est pas un changement, disons, négatif, mais plutôt une amélioration. Je ne regarde que des extraits une fois de temps en temps par-dessus l'épaule de ma mère et j'arrive quand même à suivre l'histoire !

18 h

Au souper (spag-boulettes), j'ai dit à ma mère qu'elle ne devrait pas s'empêcher d'enregistrer *Top Modèles* juste parce que son chum trouve ça niaiseux, qu'elle a le droit de conserver sa personnalité. Et elle m'a dit :

– Je n'enregistre plus *Top Modèles* pour avoir de la place pour enregistrer tes émissions.

J'allais lui dire qu'il existe des enregistreurs numériques, mais j'étais tellement touchée qu'aucune parole n'est sortie de ma bouche. Puis, ma mère a éclaté de rire parce que, paraît-il, j'avais plein de sauce tomate autour de la bouche (je ne vois pas ce que ça a de si drôle !).

Samedi 25 mars

Ma mère a caché tous mes *Archie* et m'a dit que je ne pourrais sortir avec Nicolas qu'après le souper. Kat est venue étudier avec moi (avec la permission de ma mère contre ma promesse solennelle qu'on allait *vraiment* étudier). Kat et moi, on a trouvé une super-méthode pour apprendre des notions compliquées. On chante notre matière sur des mélodies de Simple Plan. C'est drôle à dire, mais on a vraiment du fun.

14 h 13

On cogne à la porte. C'est Tommy.
Tommy : Salut, Laf ! Qu'est-ce que tu fais ?
Moi : J'étudie.
Kat : Qui t'appelle Laf ?
Kat s'approche de la porte.
Moi : C'est mon voisin.
Je présente Kat à Tommy et je sens tout de suite une connexion.

14 h 19

Kat et Tommy n'arrêtent pas de s'engueuler comme du poisson pourri. Tommy lui a dit qu'il aimait les chevaux… surtout dans les fondues chinoises. Oh là là !

14 h 37

Je réussis à mettre Tommy à la porte pour que Kat et moi puissions continuer à étudier. Kat est rouge de rage. Elle veut militer contre les gens qui mangent du cheval, surtout dans les fondues chinoises. Je lui ai dit : « Et les vaches ? Et les veaux? Et les petits agneaux tout mignons?» Elle a décrété qu'elle deviendrait végétarienne.

21 h 35

Nicolas et moi sommes allés voir un film. J'étais vraiment fatiguée et, pendant le film, je n'avais aucune concentration, car je n'arrêtais pas d'avoir des *flashs* de ce que j'avais étudié aujourd'hui. Bizarre parce qu'habituellement, c'est le contraire: quand j'étudie, j'ai des *flashs* du film que j'ai regardé ou de ma vie. Mais Nicolas me tenait la main et c'était cool, parce que, quand il fait ça, ça efface tout le disque dur de mon cerveau pour ne laisser place qu'à: titilititi, ce qui est très relaxant, intellectuellement parlant.

Dimanche 26 mars

Il commence à faire de plus en plus beau. L'hiver est presque terminé. On entend même la neige fondre. Nicolas m'a invitée à passer l'après-midi chez lui, mais Raphaël et son frère étaient là et j'avoue que je suis un peu tannée de les entendre parler en Brice de Nice. J'ai donc décidé de rester chez moi et j'en ai profité pour visionner toutes les émissions que j'ai manquées cette semaine dont *Gilmore Girls*, *Les frères Scott*, *Charmed*, etc., etc. Ça m'a fait un bien fou!

19 h 01

Avoir un chum en même temps que sa mère est très peu pratique. Tout à l'heure, je parlais au téléphone avec Nicolas et, sans aucune considération pour ma conversation, elle commence à composer un numéro.

Moi : Mamaaaaaaaaaaaaaaaan ! Je suis au téléphone !!!!!!!!!

Ma mère : Oh, 'scuse.

Et elle a raccroché.

Dix minutes plus tard

Ma mère : Aurélie, raccroche ! Il faut que je fasse un téléphone !

Moi : J'étais là en premier !

Ma mère : C'est moi qui paye !

Quel argument poche ! Elle sait que je ne peux pas me défendre contre ça !

But ultime : Payer la facture de téléphone pour pouvoir faire ce que je veux.

Note à moi-même : Ma mère est *un petit peu moins cool* depuis qu'elle a un chum.

Aveu top-secret : Je déteste François Blais. Il arrive et fait son gentil-souriant-généreux-cool, mais je suis certaine qu'il est diabolique. Dans les films de superhéros, le vilain est toujours suave, intelligent, charismatique jusqu'à ce qu'il révèle son côté machiavélique. Je suis bien déterminée à découvrir que François Blais n'est pas celui que ma mère croit qu'il est. Mouhahahahahahaha. Oh non ! Si je fais le

« mouhahaha », c'est moi la méchante ! Je retire le « mouhahahaha » et je le change pour une musique de superhéros qui vient de découvrir le pot aux roses (dans mon cas, que François Blais est un méchant).

Lundi 27 mars

Je marchais avec Kat dans un corridor de l'école quand nous avons croisé Denis Beaulieu qui m'a fait un clin d'œil en me disant : « Continue comme ça. » Ça m'a fait sentir fière. Une fois qu'il a été hors de notre vue, Kat m'a pointée et a dit : « Chouchouuuuuuu ! » J'ai pris son doigt et je l'ai baissé et je lui ai parlé de ma théorie que Denis Beaulieu est peut-être amoureux de ma mère et elle m'a dit : « Tu capotes solide ! » Et elle a continué à me crier : « Chouchouuuuuuu ! »

Note à moi-même top-secrète : Je pense que Kat est *un peu trop* de bonne humeur depuis qu'elle sait qu'elle passera un mois dans un camp d'équitation.

Mercredi 29 mars

Rien à raconter étant donné études intensives en vue d'amélioration scolaire.

Sauf peut-être une petite chose. Pendant que j'étudiais, Sybil jouait avec les ballons que j'ai rapportés de la fête de Kat, qui sont presque tout dégonflés. En sautant vivement sur l'un d'eux, elle l'a crevé et ça lui a tellement fait peur que son poil est devenu tout raide, son dos tout rond, elle a fait « shhhhhhhhhh » et elle a couru se réfugier sous mon lit. J'ai ri pendant une demi-heure.

18 h 25

J'ai tenté d'écouter la conversation téléphonique de ma mère avec François Blais pour la protéger, mais elle s'en est rendu compte et m'a dit de raccrocher. Grrrr. Pourquoi n'ai-je pas de *vrais* gadgets de superhéros pour m'aider dans ma mission?

19 h 45

Nicolas m'a appelée et on a parlé une heure. Ma mère est quand même gentille, elle a raccroché avec François Blais quand Nicolas a appelé sur la deuxième ligne. Nicolas aimerait que je rencontre sa mère, mais étant donné que ma seule conversation téléphonique avec elle s'est très mal passée (elle avait été bête comme ses pieds, je ne l'ai pas dit à Nicolas), je lui ai dit que je ne me sentais pas prête.

Lui: Envoye! J'ai bien soupé avec ta mère, moi.

185

Moi : Ouain, ç'a été catastrophique, aussi !

Lui : Parle pour toi, moi, j'ai trouvé ça *cool*.

Moi : C'est sûr, personne n'a révélé de secrets honteux à ton sujet.

Lui : Je te les ai dits moi-même. Y a rien là !

Moi : Peut-être que les soupers de parents sont plus malchanceux pour moi que pour toi.

Lui : Touche du bois.

Moi : Pourquoi ?

Lui : Ça porte malchance de dire que quelque chose est malchanceux. Ça va contrer ta malchance.

Il m'a alors proposé de souper avec son père et Anne, la blonde de son père, en m'assurant qu'ils n'étaient pas intimidants, en insistant sur le fait qu'ils étaient très *cool* et en ajoutant que maintenant que j'avais touché du bois (la mélamine gris et rose, est-ce que ça compte ?), je n'avais plus rien à craindre. J'ai accepté, surtout parce que je ne pouvais lui faire deux refus. Il a dit qu'il allait arranger ça pour samedi, parce qu'il travaille vendredi. J'ai fait « hu-hum », surtout parce que ça m'intimide. Mais il a dit : « Je t'aime » et j'ai oublié toutes mes appréhensions. (Titilititi.)

22 h 10
Incapable de dormir à cause de Sybil et de son ballon.

HAHAHAHAHAHAHAHAHAHAHA !
Trop drôle !

Vendredi 31 mars

Journée pédagogique !

J'ai eu une bonne note en géo et ma mère m'a permis de passer la journée pédagogique sans étudier. (Bizarre, mais je me sens un peu coupable, comme si le fait de profiter d'une journée de congé allait gâcher TOUS mes efforts fournis récemment.)

9 h 13

Je voulais faire la grasse matinée, mais il y a comme une pluie de cailloux contre ma fenêtre et je n'arrive plus à dormir. Ça doit être la construction. L'arrivée du printemps rime souvent avec l'arrivée des travailleurs de la construction. Je mets mon oreiller sur ma tête pour étouffer le bruit.

9 h 15

Le bruit n'arrête pas. Aaaaaaaaaargh ! J'enlève l'oreiller de ma tête et je m'approche de ma fenêtre pour voir quel travailleur de la construction cherche à gâcher ma journée de congé.

C'est Tommy.

J'ouvre la fenêtre.

Moi : Qu'est-ce que tu fais là ?

Tommy : Le monde appartient à ceux qui se lèvent tôt, Laf !

Moi : Tu parles comme un prof !

Tommy : Es-tu en congé aujourd'hui ?

Moi : Oui.

Tommy : Est-ce que ça te tente d'aller regarder aux fenêtres de MusiquePlus ?

Moi : OK. Je vais inviter Kat.

Tommy : La fille qui me déteste ?

Moi : Oui.

Tommy : OK… si tu y tiens.

9 h 20

J'appelle Kat.

Moi : Est-ce que ça te tente d'aller regarder aux fenêtres de MusiquePlus ?

Kat : Non ! C'est quétaine faire ça ! Et jeune !

Moi : Ça va être *cool* ! Et Tommy…

Kat : Quoi, c'est avec le gars antichevaux ?

Moi : Il n'est pas antichevaux ! Il fait juste en manger en fondue ! T'adores les lapins mais t'en manges pareil !

Kat : Pas depuis que je suis végétarienne !

Moi : Tu n'es pas végétarienne, t'as mangé des hot-dogs hier à la café !

Kat : Techniquement, des hot-dogs, ce n'est pas *vraiment* de la viande.

11 h 15

Nous arrivons chez Tommy. Il écoute un album de Malajube pendant qu'il essaie de reproduire les accords des mélodies sur sa guitare électrique. Kat trouve ça assez cacophonique, mais moi j'adore ! Kat me dit dans l'oreille qu'elle trouve que Tommy se pense bon. Je lève les yeux au ciel. Tommy ferme son ampli, dépose sa guitare et nous propose de partir.

11 h 45

Dans le métro, Kat et Tommy n'arrêtent pas de s'engueuler. Je crois que, pour mettre mon plan de les *matcher* à exécution, ça va me prendre bien du temps, de l'énergie et de la magie blanche.

11 h 47

Hum… La magie blanche. Voilà une bonne solution !

11 h 51

Comme je n'ai aucune connaissance ni aucun ingrédient me permettant d'utiliser la magie blanche comme solution pour améliorer l'ambiance, je tente une diversion en m'écriant de façon très enthousiaste :

– On s'en va à MusiquePlus ! Wouhou !!!

Kat : Wouhou !!!

Tommy : C'est wak !!!

Midi

Nous arrêtons manger dans un fast-food en ville avant d'aller à l'angle des rues Sainte-Catherine et Bleury pour regarder aux fenêtres de MusiquePlus. Ouuuuh ! C'est excitant !

13 h 12

On regarde par la grande fenêtre de MusiquePlus, mais c'est difficile de voir vraiment ce qui se passe à l'intérieur. Et il ne se passe pas grand-chose. Il y a une animatrice qui nous tourne le dos, un caméraman devant elle et plein de gens qui travaillent autour comme si de rien n'était. (Je me demande d'ailleurs comment elle fait pour se concentrer avec tous ces gens autour d'elle et je me dis que si elle sort dehors après son topo, je pourrais peut-être lui demander des trucs pour réussir mes exposés oraux.)

13 h 15

Je commence à être tannée de regarder par la fenêtre de MusiquePlus, nous sommes dans le champ de la caméra et je me dis qu'on doit avoir l'air bien niaiseux le nez collé à la fenêtre comme ça. Et c'est ennuyant.

13 h 16

Kat regarde ce qui se passe avec attention. Tommy me tape sur le bras et il me dit qu'il aimerait devenir auteur-compositeur-interprète et avoir un clip diffusé sur les ondes de Musique-Plus un jour. Je réponds :

– Comme la moitié de la planète !

Tommy : Je ne te connais pas beaucoup, Laf, mais j'ai l'impression que tu te sers du cynisme pour te protéger de tes émotions et des émotions de ceux que t'aimes.

Moi : Hein ? Rapport ?!?

Tommy : Je pense que tu m'as répondu sèchement pour me protéger de mon rêve. Mais sais-tu quoi ?

Moi : Euh… Non.

Tommy : Je n'ai pas peur de l'échec. Je rêve de passer un jour à MusiquePlus, mais si je ne le réalise pas, je vais être heureux pareil et je vais même me considérer chanceux d'avoir rêvé à quelque chose qui m'aura poussé à me dépasser. Mon père adore la musique, il n'a jamais percé là-dedans et il est heureux. Il m'a appris qu'il ne faut pas avoir peur de se faire dire non et de ne pas atteindre ses rêves. L'important, c'est d'en avoir. Et de ne pas se décourager si ça ne marche pas. Essuyer des refus, avoir de la peine… ça fait partie de la vie. Il faut juste tenter sa chance.

Moi : C'est beau ce que tu dis.

Je me sens émue par son discours. Je le regarde. Il me regarde. Et là, sorti de nulle part, il m'embrasse. Je le repousse vivement en criant :

– Heille !!! Rapport ?!?!!!! Qu'est-ce que tu fais là ?!?!!!!!

Kat, qui n'a rien vu, trop absorbée par ce qu'elle tentait de voir dans les locaux de Musique-Plus, se retourne et dit :

– Qu'est-ce qu'il a fait encore ?

Moi : Il m'a embrassée !!!!!!

Kat lui donne un coup de sac à dos.

Tommy : Je m'excuse, je m'excuse ! Je pensais que…

Kat : Tu ne pensais pas parce que t'es juste un gars niaiseux !

Kat me prend la main et on se sauve en courant vers le métro pendant que je regarde toutes les boutiques pour voir s'il n'y a pas un magasin de magie blanche sur notre route, la seule chose qui pourrait me sauver de cette situation embêtante.

Avril

KC

Il m'aime!

Il m'aime pas!

Ço CACA D'OISEAU! oouachh!!!

MONOKINI INTERDIT

HAUT + BAS

-FRANÇOIS BLAIS- DANS DIABOLO- MAN

Samedi 1er avril

Avec un peu de chance, l'animatrice a bafouillé juste au moment où Tommy m'embrassait et MusiquePlus ne diffusera pas cette partie de sa présentation.

7 h 15

Ou encore, le caméraman ne filmait plus dans notre direction. Il aura eu une illumination artistique et il filmait autre chose pendant que l'animatrice parlait, pour faire original.

8 h 20

À moins que j'appelle MusiquePlus pour leur demander gentiment de ne pas diffuser cette présentation de l'animatrice (sûrement ratée, de toute façon). Si je leur explique calmement la situation, ils vont comprendre.

8 h25

Si j'explique la situation à Nicolas, il pourrait lui aussi comprendre. Après tout, ce n'est pas moi qui ai embrassé Tommy, c'est lui qui m'a embrassée. De toute façon, je l'ai clairement repoussé et on le verra sûrement à l'écran. Et mon honneur *et* mon intégrité seront saufs.

8 h30

Appeler MusiquePlus semble finalement une meilleure solution. Je pourrais les payer pour ne pas diffuser et/ou rediffuser ce qu'ils filmaient hier.

Conversation (hypothétique) avec la réceptionniste :

– Allô, MusiquePlus ? Oui, je m'appelle Aurélie Laflamme et je suis allée regarder à vos fenêtres et, pendant que l'animatrice présentait les prochains clips, mon voisin m'a embrassée contre mon gré et j'aimerais que cette partie ne soit pas diffusée. Je suis prête à vous donner tout mon argent, soit 37,49 $.

C'est évident : on me raccrocherait sûrement au nez après trois secondes !

8 h 35

J'ai juste à inviter tout le monde que je connais au cinéma toute la journée aujourd'hui, comme ça, personne ne verra les reprises d'hier à MusiquePlus.

8 h 36

À moins que Nicolas ait vu ça en direct hier ? Non, il travaillait. Fiou.

8 h 37

À quelle heure passent les reprises ?

8 h 40

Non ! Si j'ai appris quelque chose de ma double vie des dernières semaines, c'est que dire la vérité ne fait de mal à personne. Je dois juste dire à Nicolas ce qui s'est passé et il va trouver ça comique. Par contre, s'il a le goût de se battre avec Tommy, je lui dirai qu'on ne règle rien par la violence, etc., etc. J'aurai l'air de quelqu'un possédant une grande sagesse et/ou zénitude. Dire la vérité est la *meilleure* solution.

8 h 45

Je peux lui dire la vérité *au* cinéma. Comme ça, il saura *tout*, mais ne verra *rien*. Excellent plan.

9 h

Au téléphone.

Moi : Allô, Nicolas ?

Nicolas : Oui ?

Moi : C'est Aurélie.

Nicolas : Oui, je t'ai reconnue. T'es de bonne heure sur le piton !

Moi : Oui, c'est que… je suis en forme ! (La vérité : je n'ai pas dormi de la nuit.) Je voulais savoir si tu voulais aller au cinéma voir… deux, trois, peut-être quatre films !

Nicolas : Tu ne veux plus souper avec mon père ?

Moi : Ah. Non. Euh, non, dans le sens que c'est pas ça. Oui, c'est sûr, je veux souper avec ton père. Ha ha.

Nicolas : Es-tu correcte ?

Moi : Oui. Je suis en feu ! Pas dans le sens «en danger» avec du vrai feu, mais dans le sens de ma bonne humeur en feu !

Nicolas : Es-tu sûre que ça va ?

Moi : S.U.P.E.R. Mais, faut vraiment que je te parle…

Nicolas : Veux-tu arriver plus de bonne heure chez nous ?

Moi : OK. Tout de suite ?

Nicolas : Pas tout de suite, il faut que je fasse un peu de devoirs. Peut-être vers seize heures ?

Moi : OK. Mais… ne regarde pas Musique-Plus pendant que tu fais tes devoirs, hein ? Ça déconcentre. C'est pas bon.

Nicolas : Euh… OK. Merci du conseil.

15 h 56

J'arrive chez Nicolas. Je m'en fous d'être en avance. C'est nécessaire.

16 h 15

Max n'arrête pas de venir dans le salon nous déranger, Nicolas et moi. Une fois, il a même dit que ça manquait d'ambiance et il a proposé d'ouvrir la télé, mais j'ai bondi pour la refermer en disant que, dans notre société, il y avait trop de télé. (J'aurais aimé ajouter que la preuve était que lui, Max, avait eu le cerveau complètement reprogrammé par un simple film, mais je me suis abstenue.)

16 h 30

Max est encore là (vraiment tache !). Je suis assise sur le divan, le dos rond, avec de la boucane qui me sort sûrement des oreilles. J'aimerais dire à Nicolas ce que j'ai à lui dire, mais pas devant son frère. 1) C'est trop gênant et 2) il me « casserait » sûrement avec une réplique à la Brice de Nice.

17 h

Merde! Le père de Nicolas vient d'arriver avec sa blonde. Impossible d'être seule avec Nicolas. Ils me posent un million de questions à la minute. Anne, la blonde d'Yves, le père de Nicolas, a même dit: «Attention! On te passe à la casserole.» Ce qui m'a laissée un peu perplexe sur le coup, car j'ai cru qu'ils étaient cannibales, avant de comprendre que c'était une expression qui voulait dire qu'ils me poseraient beaucoup de questions.

18 h 15

Je suis à table avec Yves, le père de Nicolas, Anne, la blonde du père de Nicolas, et Max, le frère (fatigant) de Nicolas. On mange de la pizza. Mais de la pizza chic. Avec la pâte mince et des ingrédients spéciaux, comme des tomates séchées et du basilic. Je n'ai jamais mangé de la pizza chez les parents d'un chum avant. Normal, je n'ai jamais eu de chum.

18 h 20

J'ai pris une pointe de ma pizza dans mes mains, mais j'ai remarqué que tout le monde la coupait avec son couteau et sa fourchette. Alors, j'ai déposé ma pointe dans mon assiette et je l'ai coupée en petits morceaux moi aussi, ce qui était assez difficile parce que la croûte est assez dure. Une fois rendue à la croûte, j'ai piqué ma fourchette dedans, mais j'ai raté mon coup et mon morceau a atterri tout droit dans l'assiette du père de Nicolas... qui a éclaté de rire et qui a dit:

– T'avais juste à le dire si t'avais plus faim.

18 h 21

Max : Hé, Aurélie ?

Moi : Oui.

Max : Tu peux jeter tes restes dans la poubelle au lieu de le faire dans l'assiette de mon père. J't'ai cassée !

Yves : Max, arrête ça !

Max : Oh, c'est pour rire !

Nicolas : C'est énervant.

Max : T'es pas fâchée, hein, Aurélie ?

18 h 23

Dieu, si vous existez, faites que tout ça soit un rêve et que je me réveille avant-hier, que Tommy ne m'embrasse pas devant les caméras de MusiquePlus et que je n'aie pas échappé de morceau de pizza dans l'assiette du père de mon chum.

18 h 31

Anne : Alors, Aurélie, tu l'aimes comment gros, Nicolas ?

Nicolas : Anne, franchement ! Laisse-la tranquille.

Max : Ouain, *come on* !

Yves : Non, ça m'intéresse, moi. Laissez-la répondre.

Pourquoi les adultes s'entêtent-ils à poser ce genre de question ultra-gênantes ? Il devrait y avoir un règlement qui stipule que les tests ne sont réservés qu'à l'école. Puisqu'il le faut, je lance spontanément :

– Je l'aime p.q.t.m. !

Yves : Comment ?

Moi : Euh… Plus que tout au monde. Pas que je ne m'intéresse à rien d'autre qu'à lui. Ni

200

que je suis une espèce de dépendante affective qui ne pense qu'à une seule personne et concentre sa vie autour de lui. Non, parfois c'est bien d'avoir d'autres amis, même si les amis en question font des erreurs et qu'après vous avez envie de les tuer. Euh… C'est seulement une façon de parler. Je ne veux tuer personne. J'ai de la misère à écraser une fourmi, t'sais ! Je voulais juste dire que j'aime beaucoup Nicolas. Et soyez rassurés, je suis contre la violence. Donc, en résumé, j'aime beaucoup Nicolas, sans aucun élan de violence inapproprié, et j'aime également plein d'autres personnes, comme ma mère, Sybil, et mes amis. Mais il est le seul que j'aime, disons, de cet amour-là. De toute façon, est-ce qu'on peut *vraiment* mesurer l'amour ?

Je sens une goutte de sueur perler sur mon front. Tous leurs yeux sont rivés sur moi.

18 h 32

Max : HAHAHAHAHAHAHAHAHAHAHA !

Moi (dans ma tête) : Je vais me réveiller, je vais me réveiller, je vais me réveiller.

Nicolas me prend la main sous la table. J'ai l'impression que mon cœur va bondir hors de ma poitrine. Pas parce que Nicolas me fait de l'effet, mais parce que tout tourne de travers.

19 h 30

Je suis sur le divan du sous-sol de Nicolas, avec Nicolas, et son frère est un peu plus loin, assis dans un fauteuil. Nicolas me dit :

– C'est stressant, hein, rencontrer les parents officiellement ?

Moi : Ouain…

Nicolas : Comme ça… tu m'aimes… p.q.t.m. ?

Moi : C'était une façon de parler.

Nicolas : Est-ce que c'était ça que tu voulais me dire ?

Moi : En fait…

Nicolas : Moi aussi je t'aime… p.q.t.m.

Alors que mon cerveau s'est remis à faire « titilititi » de façon incontrôlable et qu'attirée par l'odeur de bon assouplissant de Nicolas je me suis laissée emporter par l'élan de vouloir l'embrasser, je n'ai pas remarqué que Max avait ouvert la télé et qu'en zappant, il était tombé sur MusiquePlus.

Max : Hé ! On dirait que c'est toi à la télé, Aurélie !

Nicolas : C'est vrai !!! C'est toi à la fenêtre ! Avec Kat ! Et le gars, c'est ton voisin ?

Moi : Hein ?!? Euh… Changez de poste ! Je suis gênée de me voir à la télé ! C'est pas *cool* !

Nicolas : Non, je veux voir, c'est trop drôle !

Alors que je saute par-dessus Nicolas pour attraper la télécommande des mains de Max, on voit clairement (en arrière-plan) Tommy me parler, moi le regarder intensément (alors que je ne faisais qu'écouter attentivement ce qu'il me disait, politesse oblige) et, alors qu'on s'embrasse (un moment qui n'a duré dans la vie qu'une fraction de seconde), le caméraman (voici tout ce que je pense de lui : &?%$#@ !) tourne sa caméra vers le plafond des studios de MusiquePlus, ce qui nous fait complètement rater le moment crucial de la scène avec Tommy, c'est-à-dire celui où je le repousse vivement, que Kat l'engueule comme du poisson pourri, qu'elle me prend par la main et qu'on se sauve. Nicolas n'a rien pu voir de *tout ça.*

Note à moi-même : Toucher du bois est une superstition ridicule qui ne sert à RIEN et/ou la mélamine ne compte vraiment pas pour du bois et empire un phénomène.

Dimanche 2 avril

Bon ! Une autre affaire ! Je crois que ma mère ne comprend plus le français. J'étais dans mon lit, avec un vieux toutou dans les bras et Sybil couchée à mes pieds, tous mes draps remontés par-dessus la tête (comme toute personne normalement déprimée qui ne veut pas voir ses meubles porte-malheur) et j'avais précisé à ma mère que si jamais Tommy appelait ou se présentait, de faire comme s'il n'existait pas et j'ai ajouté que je ne voulais pas le voir et que c'était très sérieux.

Tout à coup, ma mère cogne à ma porte de chambre, et l'ouvre en disant :

– Quelqu'un veut te parler.

Dans l'embrasure de la porte, j'aperçois Tommy avec sa guitare dans le dos. Si jamais un jour ma mère refuse de signer un de mes bulletins parce qu'elle a trop honte de mes notes, je vais pouvoir lui dire que les problèmes de compréhension de certaines notions sont totalement HÉRÉDITAIRES !

Avant de le laisser entrer de SON plein gré dans MA chambre, elle me chuchote :

— Il a vraiment l'air de se sentir mal.

Je plisse mes yeux en signe de colère envers ma mère et me tourne dans mon lit pour ne pas voir Tommy.

Tommy : Laf… Aurélie, je m'excuse… Je fonce, pis je pense après. La première fois que je t'ai vue, j'ai comme eu un coup de foudre. Je te trouve super-tripante. Je pensais que tu m'avais fait croire que t'avais un chum pour ne pas que je tripe sur toi…

Moi : Le pire, c'est que ç'aurait vraiment été mon genre.

Tommy : T'es ma voisine et je ne voudrais pas me chicaner. Je veux vraiment être ton ami.

Moi : On est en chicane.

Tommy : Oui, mais je veux vraiment me réconcilier. Je te promets que je n'essaierai plus jamais de t'embrasser.

Moi : Avec Nicolas. Mon chum « non inventé ». On est en chicane.

Tommy : À cause de moi ? Oh non ! Je vais aller lui parler si tu veux.

Moi : Non… J'ai essayé de lui expliquer. Mais il dit que… T'sais, je crois que t'avais raison. Je suis quelqu'un qui me protège beaucoup. Mais je croyais qu'avec lui…

Tommy : J'aimerais ça faire quelque chose pour me faire pardonner.

Moi : Ça va être correct.

Tommy : Je veux vraiment faire quelque chose pour toi.

Moi : Hum… OK. J'aimerais ça que tu dises à Kat que tu ne mangeras plus jamais de cheval et que tu le fasses pour de vrai.

Tommy : Je pensais plus à quelque chose du genre faire une corvée ou encore te chanter une chanson. C'est que… c'est vraiment bon du cheval.

Moi : C'est ça ou rien.

Tommy : OK, je ne mangerai plus de cheval.

Moi : Et t'excuser à Kat.

Tommy : Et m'excuser à Kat. Et à toi… Je m'excuse vraiment.

15 h 03

Je suis maintenant assise dans mon lit, toujours avec le toutou dans les bras. Je n'ai pas enlevé mon pyjama de la journée et j'ai les cheveux grichous. Tommy est assis au pied de mon lit et fait danser les pattes de Sybil, ce qui me fait rire parce que Sybil n'a pas du tout l'air d'aimer la danse hip-hop que Tommy lui fait faire. Puis, ma mère cogne à ma porte de nouveau, l'entrouvre et, avec un visage de malaise absolu, dit :

– Quelqu'un veut te parler.

Et Nicolas entre, alors que je ris avec Tommy.

La tension qu'il y a dans ma chambre à ce moment-là est à couper au couteau. C'est épouvantable ! J'ai l'impression qu'un boulet de canon m'a traversée.

Hier, 20 h 10

Après qu'on m'a vue embrasser Tommy à la télé, Nicolas est resté sans voix pendant que son frère riait et lui lançait des répliques assassines dignes de son idole Brice de Nice. Moi, je répétais: «Nicolas, je voulais te le dire, mais je n'ai pas trouvé de bon moment…» J'ai insisté sur le fait que j'avais essayé de repousser Tommy et tout, mais il m'a dit qu'il préférait que je m'en aille parce qu'il voulait réfléchir. Alors que je m'en allais, j'ai vu Max faire le signe de « cassage » de Brice de Nice, sans parler. Il fendait l'air de haut en bas en diagonale avec sa main droite lorsque je me suis retournée et que j'ai dit d'un ton tranchant:

— Coudonc, Max, tu l'as écouté combien de fois, Brice de Nice?

Max: J'sais pas. Une cinquantaine.

Moi: T'as de la misère à comprendre l'histoire ou quoi?

Je n'ai pas eu besoin de dire que je l'avais cassé. Il a simplement arrêté de fendre l'air avec sa main et d'afficher son petit sourire arrogant. Je ne sais pas trop pourquoi, mais quand je suis en présence de fans de Brice de Nice, les réparties viennent spontanément. À moins que ce soit parce que je me sens envahie par la colère. Ou que le mauvais sort de réparties qui arrivent cinq heures en retard soit rompu?

Retour à aujourd'hui, 15 h 04

Mais voilà, à cause de ma mère, Tommy est dans ma chambre, en train de me faire rire, alors que Nicolas vient sûrement m'annoncer qu'il m'aime et qu'il est désolé d'avoir sur-réagi au fait qu'un gars m'ait embrassée contre mon gré. Nicolas regarde Tommy, qui me regarde pendant que je regarde Nicolas.

206

Tommy se lève et dit :

– J'étais venu m'excuser, *man*. Ta blonde ne veut rien savoir de moi. C'est toi qu'elle aime.

Nicolas ne dit rien.

Puisqu'il regarde toujours Tommy, j'en profite pour peigner un peu mes cheveux avec mes doigts.

Tommy dit : « Bye, Laf. » Et il sort de ma chambre.

Nicolas : Laf ?

J'arrête de peigner mes cheveux avec mes doigts avant qu'il me regarde.

Moi : C'est… un surnom.

Nicolas : Ah.

Moi : Je te jure, je l'ai repoussé.

Nicolas : Tu n'es pas frue contre lui ?

Moi : Oui… Mais, il s'est excusé.

15 h 49

Après une loooongue explication, Nicolas m'a dit qu'il serait con de ne pas me pardonner si moi j'ai réussi à pardonner à quelqu'un qui m'a embrassée contre mon gré. Fiou. Malgré tout, il est reparti la mine basse et je n'arrive pas à me sentir survoltée comme chaque fois que je suis avec lui. On dirait qu'il y a quelque chose de brisé. Et je me sens mal.

15 h 52

Et je sais très bien qui engueuler : MA MÈRE ! J'avais dit que je ne voulais pas voir Tommy et elle l'a fait entrer. Et là, Nicolas est venu, ce qui était mon rêve le plus fou, et ç'a tout gâché ! Ma mère s'est confondue en excuses et m'a promis de ne plus se mêler de mes affaires.

(J'ai vérifié derrière son dos pour m'assurer qu'elle ne se croisait pas les doigts, car j'avais du mal à la croire.)

16 h

J'étais dans ma chambre en train d'étudier (lire un *Archie* caché dans mon livre de maths) quand ma mère est venue me demander si j'avais besoin de son aide pour faire mes devoirs. J'ai dit non (les *Archie* sont assez faciles à comprendre), et elle est repartie. Puis, elle est rentrée de nouveau pour me dire que je devrais m'habiller. Je lui ai répondu que, comme j'avais passé la journée en pyjama, ça ne valait pas la peine de m'habiller maintenant puisque j'aurais à me changer de nouveau dans quelques heures à peine. Elle a pointé mon livre de maths avec son nez et elle a dit : « C'est les maths qui te rendent logique comme ça ? » Et j'ai seulement souri en guise de réponse.

Lundi 3 avril

Je suis très stressée. Je pense que c'est à cause des oiseaux. Depuis que le printemps est arrivé, ils me réveillent chaque matin avec leur gazouillis super-énervants. On dirait que les oiseaux ont été mis sur la planète pour me déranger ! Je ne comprends d'ailleurs pas pourquoi certaines personnes les trouvent si beaux. Moi, je trouve ça laid, les oiseaux. Ils me réveillent le matin et, quand je marche dans la rue, ça arrive souvent qu'un pigeon me fonce dedans. Ça ne prend pas un permis de voler quand on est un oiseau? Je déteste les oiseaux! Ils gâchent mes matins, mes promenades dans la rue et mon existence au complet!

Mardi 4 avril

Tout le monde de l'école m'a vue à Musique-Plus. Justine et Marilou ont trouvé ça «super-*cool*», mais «un peu chien pour mon chum», d'autres filles ont entendu la rumeur que j'étais maintenant animatrice à MusiquePlus et non simplement une fille qui regarde par la fenêtre et qui se fait embrasser par mégarde. Et des filles de première secondaire sont même venues me demander un autographe, car elles croyaient que je faisais partie d'une téléréalité. Là, j'avoue que j'ai regardé Kat et qu'elle a haussé les épaules, l'air de dire: «Signe, qu'on en finisse.» Le médium de la télé est fascinant. Sitôt qu'on y fait n'importe quelle connerie, on se met à exister. Je trouve ça niaiseux. Et nul. Et con. Et stupide. Si je le pouvais, je remonterais dans le temps et je changerais tout!

Mercredi 5 avril

C'est maintenant au tour de la gomme de gâcher mon existence! Particulièrement les mâcheurs de gomme qui la jettent dans la rue! 1) Ce n'est pas biodégradable et 2) PILER SUR UNE GOMME EST LA PIRE CHOSE QUI PUISSE ARRIVER À UN ÊTRE HUMAIN! (Bon, évidemment, tout est relatif...) Aujourd'hui, j'ai pilé sur une gomme et je n'ai pas réussi à la retirer de mon soulier DE TOUTE LA JOURNÉE! Si bien qu'à chaque pas, mon soulier gauche restait un peu collé par terre, ce qui me rendait trop consciente de ma démarche et qui me stressait au plus haut point. Quand on marche, on n'est pas supposé être conscient de chacun de ses pas, c'est très aliénant!

Jeudi 6 avril

François Blais, le nouveau chum de ma mère, m'énerve! Il n'a aucune notion de politesse! J'appelle François Blais «monsieur Blais» et je le vouvoie, comme tout être humain bien élevé, mais il n'arrête pas de me dire de l'appeler François et de le tutoyer. Il m'a dit ça au moins un million de fois. Son manque de connaissances en matière de politesse n'aide en rien sa cause! Je tiens encore plus à conserver une certaine distance entre nous, et de

prouver une fois pour toutes qu'il se cache
– sous ses airs de chum parfait – un vilain
digne des bandes dessinées.

Vendredi 7 avril

Kat pense que je suis stressée à cause de
Nicolas, et non à cause des oiseaux, de ma
nouvelle popularité due à mon baiser diffusé, de
la gomme et de François Blais. Je pense qu'elle a
très peu de connaissances en matière de psycho-
logie et qu'elle devrait conserver ses théories
pour elle. Pfff! Comme si j'étais stressée à cause
de Nicolas qui m'a pardonné et qui ne m'a pas
appelée depuis la dernière fois seulement parce
qu'il est très *occupé*. Après tout, il y a l'école et
son travail à temps partiel à l'animalerie. Ce n'est
certainement pas sa faute si une golden retriever
a eu une portée et qu'il a dû travailler un petit
peu plus! (Mon hypothèse personnelle.) J'ai dit à
Kat d'avoir un peu plus de compréhension pour
les gens qui travaillent à temps partiel.

Samedi 8 avril

J'ai le cœur brisé. Et quand je marche dans
la rue, on peut l'entendre comme de la petite

monnaie qui fait shling shling dans des poches de pantalon. Sauf qu'au lieu de faire shling shling, ça fait crack crack, bing bang.

Tout a commencé quand Nicolas m'a invitée à aller au parc. J'étais toute contente (stressée), me disant que je m'étais inquiétée pour rien (quelque chose) et (mais) que Nicolas et moi, c'était du solide (mou comme de la guenille à cause de l'événement Musique-Plus).

De 14 h 07 à 14 h 39

Nicolas a dit plein de phrases incohérentes. Il parlait avec un débit rapide et il semblait se sentir mal. Il m'a raconté que Raphaël l'avait «cassé» toute la semaine avec le fait que sa blonde a été vue à la télé avec un autre gars.

JE DÉTESTE BRICE DE NICE! (Même si le film me fait beaucoup rire, surtout la passe où il se fait péter le nez! Hahaha! Oups. Focus.)

14 h 39

Moi: Oui, mais c'était un a-c-c-i-d-e-n-t!

Nicolas: Je sais…

Moi: Tommy a été vraiment con, mais il m'a juré qu'il ne le refera plus!

Nicolas: Tommy…

Moi: C'est juste un ami. Même pas un ami, un voisin!

Nicolas: Comment tu te sentirais si j'étais ami avec une fille qui m'a embrassé de force?

Moi: Ben franchement, t'es capable de te défendre!

Nicolas: Tu te sentirais bizarre?

212

Moi: Ça ne pourrait pas arriver! T'es plus fort qu'elle! Qui veut t'embrasser? Si je la vois, je lui…

Nicolas: Tu vois!

Moi: Hum… Mais si ça arrivait parce que t'étais dans un moment de faiblesse… genre tu découvres que t'es diabétique et t'es dans un moment où ton taux d'insuline a chuté et que t'es sans défense, en pleines convulsions avec de la bave qui te sort de la bouche et que là, une fille t'embrasse, je trouverais la fille très conne de ne pas t'avoir donné un bonbon, mais je comprendrais que c'était un moment où tu ne pouvais rien faire.

Nicolas (il rit, bon signe): Aurélie… t'es géniale. Je t'aime, mais…

Moi: Pas de «mais»! S'il te plaît, pas de «mais».

Nicolas: Mais je ne peux pas t'empêcher de voir Tommy. Ce serait con… Comme si tu m'empêchais de voir la fille qui m'aurait embrassé en pleine crise si jamais j'avais le diabète!

Moi: Ouain.

Nicolas: Mais… En plus, ç'a passé à la télé. Plein de monde t'a vue.

Moi: Si ça n'avait pas passé à la télé…

Nicolas: Me l'aurais-tu dit?

Moi: C'est sûr! J'ai passé tout un mois à mentir à ma meilleure amie et j'ai décidé de ne plus vivre comme une Charlie's Angel!

Nicolas: Je veux juste dire que… je vais m'ennuyer de toi. T'es la fille la plus tripante…

Moi: Tu pars en voyage?

Nicolas : C'est juste que… Je ne peux pas continuer. Avec toi.

Moi : Est-ce que c'est à cause de ce que j'ai dit à ton frère l'autre jour ? Je peux m'excuser…

Nicolas : Non ! En passant, tu l'as tellement bouché qu'il ne casse plus personne. Hier, Raphaël est même venu chez nous et il voulait faire une partie de « cassage » avec mon frère et Max lui a dit que ça ne lui tentait pas.

Moi : Ah, ouain ?

Nicolas : Je sais que je vais trouver ça dur, mais…

Moi : Qu'il ne casse plus personne ?

Nicolas : Non… De ne plus te voir. Je vais trouver ça dur…

Moi : Tu peux arrêter là. *Tu* vas trouver ça dur, et *moi*, je vais trouver ça dur, alors, on a juste à se voir encore et personne ne va trouver ça dur.

Nicolas : Ça m'a fait trop de quoi, cette affaire-là. Avec Tommy. J'ai passé la semaine à y penser et…

Moi : T'as passé la semaine à penser à ça ? Mais pourquoi tu ne m'as pas appelée ? On aurait pu en parler !

Nicolas : Aurélie, je suis juste… pas capable.

Je regardais Nicolas et je ne savais pas trop quoi ajouter. Je sentais sa bonne odeur d'assouplissant et j'essayais d'en prendre une grande sniffée en me disant que j'espérais que c'était juste comme ça qu'il se sentait en ce moment, mais que tout allait changer demain. Puis, au moment où j'allais dire je ne sais même pas quoi, quelque chose de mou et gluant a coulé sur mon visage. J'ai mis ma main dessus pour voir ce que c'était et ouaaaaaaaaaaaaaach! C'était une crotte d'oiseau!

JE DÉTESTE LES OISEAUX! ILS SONT JUSTE CONS! ET ILS N'ONT AUCUNE ÉTHIQUE EN MATIÈRE DE DÉFÉCATION!

Nicolas a dit:
– Attends, j'ai un mouchoir.
Je l'ai trouvé très gentleman de ne pas éclater de rire, c'est sûrement ce que j'aurais fait si c'était arrivé à quelqu'un en face de moi. Mais Nicolas n'est pas comme ça. Il est super. Il est génial. Il est… toutes les qualités du monde! Sauf qu'il a cassé. Je suis partie en courant avant qu'il me voie pleurer.

Dimanche 9 avril

Je sais comment aider une amie à passer à travers sa peine d'amour, mais je ne sais pas comment m'aider, moi, à passer au travers. J'ai bien cherché dans d'anciennes éditions du *Miss Magazine*, mais je n'ai rien trouvé. Je pourrais peut-être les appeler pour leur suggérer d'écrire un article là-dessus?

Conversation (hypothétique) avec la rédactrice en chef du *Miss Magazine*:
– Oui, bonjour, je m'appelle Aurélie Laflamme, j'ai quatorze ans, bientôt quinze, et je suis en peine d'amour et malheureusement, je

n'étais pas abonnée à votre magazine quand vous en avez parlé dans vos pages. Pourriez-vous s'il vous plaît faire un article là-dessus, j'en aurais vraiment besoin. Je suis prête à vous donner tout mon argent, 29,35 $. J'en avais un peu plus, mais cette semaine, je me suis acheté deux muffins au chocolat à la cafétéria de l'école. Je crois que c'est l'approche de Pâques qui me donne autant le goût de manger du chocolat. D'ailleurs, vous pourriez aussi faire un article sur l'envie du chocolat qui augmente en période de stress.

Je me demande à partir de quel mot elle me raccrocherait au nez. « Bonjour » ?

10 h 16
J'ai relu l'article « Comment aider une amie à survivre à sa peine d'amour ». Bon, au moins je sais que je traverserai cinq étapes importantes avant d'oublier Nicolas : le déni, la colère, la culpabilité, la tristesse et l'acceptation. Vive le *Miss*. Hourra. (Je manque d'enthousiasme parce que c'est le genre d'apprentissage que j'aurais aimé *éviter* de faire.)

11 h 32
Kat n'en revient pas que Nicolas ait cassé. Elle m'a proposé d'aller lui péter la gueule. J'y ai réfléchi pour la forme, mais la violence n'arrange rien (sauf envers les oreillers, que je frappe avec vigueur depuis quinze minutes).

11 h 35
J'ai expliqué à Kat que le pire dans toute l'histoire, ce n'est pas que Nicolas ait cassé

comme tel, mais qu'il ait cassé juste avant qu'un oiseau fasse caca sur ma tête. Je trouve épouvantable que la dernière image que Nicolas ait de moi soit celle d'une crotte.

Midi

Kat me parle de trucs qu'elle a utilisés pour se sortir de sa peine d'amour avec Truch. À la façon dont elle dit son nom, j'ai l'impression que sa peine d'amour n'est pas réglée et j'en viens à penser que ce sera long avant que j'oublie Nicolas, qui est cent millions de fois plus *hot* que Truch.

13 h 11

Kat est revenue avec un sac de jujubes en me disant qu'il ne restait plus de Nibs au dépanneur.

Je crois que ma vie ne pourrait pas être pire.

Lundi 10 avril

L'école n'est pas un endroit pour vivre ses émotions. Il faut que j'améliore mes résultats scolaires. Je suis un soldat! Tambours! Trompettes! Fanfare d'armée! Personne ne saura à quel point je souffre intérieurement! J'aurai les meilleures notes de l'école. Je vais étudier à travers mes larmes. Aucune émotion ne paraîtra. Je serai considérée comme une héroïne de guerre!

Mardi 11 avril

Laurent Giroux nous a donné un test-surprise à faire en géo. J'ai coulé. Raison : j'étais incapable de me concentrer parce que je n'arrêtais pas d'imaginer la dernière image que Nicolas a de moi, c'est-à-dire mon visage recouvert d'une crotte d'oiseau gluante qui dégouline. Totalement dégueu ! Ce n'est pas grave. Je suis un soldat ! Je vais me reprendre au prochain test. Compagnies, char-gez ! Taratatataratata ! Je tire sur mes émotions pour les anéantir. Taratatataratata !

Mercredi 12 avril

Je suis fâchée contre Google ! J'ai cherché :

« Comment surmonter ma peine d'amour avec Nicolas Dubuc ».

On m'a répondu :

Did you mean : « Comment surmonter *la* peine d'amour avec Nicolas Dubuc » ?

Mais il n'y avait aucun endroit pour cocher « oui ». J'ai quand même cliqué sur cette proposition et on m'a donné l'adresse de plein de sites qui n'ont aucun rapport avec une peine d'amour concernant Nicolas Dubuc, ce qui m'aurait énormément aidée.

J'ai alors cherché :

« Comment changer l'image que notre ex a de nous si un oiseau nous a fait caca dessus pendant qu'il nous laissait » et on m'a répondu :

« Comment changer l'image que notre ex a de nous si un oiseau nous a fait caca dessus pendant qu'il nous laissait » – *did not match any documents.*

Je crois que Google est un moteur de recherche *vraiment* surestimé !

16 h 43

Kat m'a dit d'arrêter d'être obsédée par la crotte d'oiseau. Que ce n'est pas important.

Moi : Ah oui ? Comment tu te sentirais si la dernière image que Truch avait de toi, c'est une face tachée de crotte d'oiseau gluante ?

Kat : Hum…

Moi : C'est ça que je disais.

Là, Kat, totalement insensible à ma peine, a éclaté de rire. Meilleure amie, mon œil !

18 h

Après avoir expliqué à Kat que « meilleure amie » est un titre qui se mérite, Kat s'est excusée d'avoir ri. Mais en m'expliquant son point de vue, elle a éclaté de rire de nouveau, réussissant à me faire rire de la voir autant crampée.

19 h

HAHAHAHAHAHAHAHAHAHA ! DE LA CROTTE D'OISEAU ! HAHAHAHAHAHA ! C'est la PIRE rupture au MONDE ! HAHAHA-HAHAHAHAHAHAHA !

Jeudi 13 avril

Finalement, je crois que mes recherches sur Google et ma conversation avec Kat ont porté fruit. Je suis surprise de constater que tout se passe très bien. Je n'ai plus de peine du tout. Peut-être que Google a un effet magique. Les adresses de sites qu'on m'a données étaient peut-être codées pour changer les circuits de tristesse dans mon cerveau en circuits de maturité, de bonheur et de joie. J'arrive même à prendre tout ça avec humour. Je n'en reviens pas de voir à quel point je compose aussi bien avec les événements. Ma peine d'amour aura duré quoi ? Quatre jours et demi ? Et dire que Kat a passé des mois en peine d'amour ! Elle ne sait pas aussi bien que moi comment gérer ses émotions. Wow ! Quelle technique ! Je ne pense même plus à Nicolas, c'est comme s'il n'avait jamais existé.

Première étape expérimentée : le déni
J'AVOUE ! J'ai menti quand j'ai dit que je ne pensais plus à lui. J'essayais simplement de faire du renforcement positif. D'envoyer comme message à mon cerveau que je ne pensais plus à lui. Je pensais que ça marcherait. Mais non. Je n'arrête pas de penser à Nicolas. Je voudrais juste que la dernière image qu'il ait de moi soit ma vraie face. Et non une face avec du caca d'oiseau. Il me semble que c'est normal, non ? Comme ça, s'il pense à moi, il aurait une belle image. Pour l'instant, si jamais il regrette d'avoir cassé, il repensera à moi avec le caca et il trouvera

ça tellement dégueulasse qu'il pensera à autre chose. Merde! (Sans vouloir faire d'humour, puisque je ne trouve pas ça drôle du tout.)

Vendredi 14 avril

Congé.

Dimanche, c'est Pâques. Kat est partie à l'autre bout du monde dans sa famille. J'ai le goût d'appeler Nicolas. Je pourrais l'appeler, juste pour lui souhaiter «Joyeuses Pâques». Il trouverait ça gentil de ma part. Pâques, c'est une fête importante, non? Et là, je pourrais lui proposer qu'on se voie, juste pour se dire un vrai adieu. En bonne et due forme. Loin des oiseaux. C'est une excellente idée!

11 h

Au moment où je me prépare à composer son numéro, le téléphone sonne. C'est Tommy.

Tommy: Laf! Qu'est-ce que tu fais aujourd'hui?

Moi: Euh… J'appelle… Je fais des appels.

Tommy: À qui?

Moi: Personne. Tout le monde. Ça dépend.

Tommy: Tu veux appeler ton ex?

Moi: Non, non.

Tommy: OK, appelle-moi quand t'auras fini.

Moi: Non, j'ai besoin de… d'être seule.

Tommy: Oh! *Come on*! Viens au parc.

Moi: Est-ce que les marguerites sont sorties?

11 h 38

Au parc.

Les marguerites ne sont pas sorties. Mais Tommy est allé m'en acheter chez un fleuriste pour me convaincre de le suivre au parc. Il a fait ça soit par a) culpabilité ou b) total opportunisme pour ne pas aller seul au parc.

11 h 51

Pendant que Tommy joue de la guitare, j'enlève les pétales un à un en pensant : « Il m'aime, il ne m'aime pas » (Nicolas, pas Tommy). J'ai séparé les marguerites sans pétales en deux piles. La pile « il m'aime » (qui est plus grosse, *yes*!) et la pile « il ne m'aime pas » (que je vais jeter à la poubelle en partant d'ici). Si, à la fin de la journée, il y a plus de marguerites m'ayant annoncé que Nicolas m'aime encore, je vais l'appeler. Si c'est le contraire, je ne l'appellerai pas.

Tommy : Oublie-le !

Moi : Qui ça ?

Tommy : Nicolas.

Moi : Pfff ! Je l'ai oublié ça fait longtemps.

Tommy : Tu fais « il m'aime, il ne m'aime pas ».

Moi : Non !

Je l'ai dit tout haut ?

Tommy : *Come on* !

Il défait ma pile « il m'aime », ce qui me fait un coup au cœur.

Moi : T'as tout gâché !!!

Tommy : C'est juste une pile de marguerites sans pétales.

Moi : Tout est ta faute, Tommy Durocher ! Je te souhaite juste qu'un oiseau fasse caca sur ta guitare !

Dimanche 16 avril

Chocolats que j'ai reçus en cadeau :
• Une tortue de ma mère.
• Une poule de mes grands-parents Charbonneau.
• Des œufs en tous genres de mes oncles et tantes.
• Un immeeeeeense lapin de ma grand-mère Laflamme.
• Une trousse de maquillage en chocolat de François Blais (qui se croit sans doute original).
• Un minou de Tommy (avec une carte me disant qu'il mettra lui-même du caca d'oiseau sur sa guitare si c'est ce qu'il faut pour que je lui pardonne).

Je n'ai par contre rien pu avaler parce qu'un motton de tristesse de la taille d'un melon bloque mon œsophage. (Devrais-je aller consulter un médecin ?)

21 h
Ma mère était au téléphone (sûrement avec François Blais, ou plutôt, Diabolo-Man, comme je me plais à l'appeler secrètement depuis quelque temps) quand je suis allée la rejoindre dans sa chambre au summum de ma déprime. Je ne sais pas comment elle est parvenue à comprendre un seul mot de mon histoire, tellement elle était parsemée de sanglots. Si ça se trouve, elle pense simplement que je suis sur un *down* de sucre après avoir mangé tout ce chocolat. Malgré tout, elle m'a écoutée avec

attention en caressant doucement mes cheveux avant de me dire :

– Je sais que tu as de la peine, Cocotte, mais tu vas voir, le temps arrange les choses.

Lundi 17 avril

Au téléphone avec Tommy.

Moi : Merci pour le chocolat.

Tommy : Merci de m'avoir appelé pour me dire merci. Ça te tente de venir écouter de la musique ?

Je me suis dit que je ferais peut-être mieux de pardonner à Tommy. Kat étant partie tout l'été au camp, ça me prendra un ami avec qui passer le temps. Comme c'est le cas aujourd'hui.

Le problème, avec Tommy, c'est que je suis incapable de rester fâchée contre lui. J'aurais bien aimé que Nicolas soit capable de ne pas être fâché contre moi.

Deuxième étape expérimentée : la culpabilité
Tout est de ma faute. Tout est de ma faute. J'aurais dû ne pas aller à MusiquePlus et étudier. C'est l'école qui est importante. Pas d'aller regarder aux fenêtres d'un studio de télé. Mais non ! Pas capable de rester tranquille deux secondes et de se mettre le nez ses livres. Il faut que madame aille en ville mettre son nez aux fenêtres d'une station de télé. Très

intelligent. Bravo ! Je suis la fille la plus *twit* du monde ! Je mérite que Nicolas ait cassé. J'aurais fait pareil !

Note à moi-même : Se péter la tête contre un mur peut être douloureux et ce geste peut se révéler troublant pour votre chat qui vous regardera d'un air intrigué (constatation selon expérience personnelle).

Mardi 18 avril

C'est la PIRE journée de ma vie. (Les profs, eux, appellent ça plutôt la journée des vaccins, je suppose que ça dépend du point de vue et/ou de quel côté de l'aiguille tu te retrouves.) Plein d'infirmières viennent à l'école pour nous vacciner contre toutes sortes de choses comme le tétanos et d'autres maladies, mais j'ai arrêté d'écouter après « tétanos ».

14 h
Je déteste les piqûres.

14 h 02
Je suis en file pour attendre ma piqûre, mais je laisse passer d'autres filles devant moi, par politesse. J'ai vraiment été bien élevée.

Note à moi-même : Penser à remercier ma mère pour ma bonne éducation.

14 h 03

Un prof de quatrième secondaire vient me dire d'arrêter de faire passer des filles devant moi, que mon tour viendra de toute façon. Ç'a piqué mon orgueil.

14 h 05

L'infirmière prend mon bras de façon machinale, soulève ma manche, et elle approche sa grosse aiguille. Je retire mon bras.

Infirmière : Laisse ton bras mou, ça ne fera pas mal.

Moi : 'Scusez, 'scusez. C'est l'appréhension de la douleur. Selon une étude, l'attente de la douleur fait aussi mal que la douleur elle-même. J'ai appris ça en bio.

Infirmière : Ça ne fera pas mal, c'est comme une piqûre de mouche.

Elle essaie encore une fois et je retire mon bras de nouveau.

Moi : 'Scusez ! J'ai peur que ça fasse mal.

Infirmière : Tu ne dois pas aimer les piqûres de mouches, toi !

Moi : Euh… Non, pas particulièrement. Est-ce qu'il y a des gens qui *aiment* ça ?

Ouch ! Pendant que je parlais, elle en a profité pour me piquer. Je pense qu'elle voulait me punir pour lui avoir répondu quelque chose de particulièrement sensé. Franchement ! Comme si on disait : « Yé, enfin ! Une mouche m'a piquée ! »

Alors que je me tordais de douleur, elle a crié : « Suivante ! », et j'ai éclaté en sanglots devant l'infirmière qui cherchait désespérément un prof responsable du regard.

14 h 35

Dans le bureau de Denis Beaulieu, après ma scène (très bébé) dans le local d'études où se donnaient les vaccins.

Denis Beaulieu: Qu'est-ce qui se passe Aurélie?

Moi: Je déteste les piqûres!

Je me touche le bras au niveau de la piqûre et je le lâche aussitôt que je constate que ça fait encore plus mal quand on y touche.

Denis Beaulieu: À ce point-là?

Moi: Oui…

Denis Beaulieu: Veux-tu me dire la vérité? Est-ce que c'est parce que tu sens que j'ai exercé trop de pression avec tes cours? Je fais ça parce que je crois en ta réussite scolaire.

Moi: Non…

J'allais prendre machinalement un élastique qui traînait sur son bureau, mais il l'a attrapé avant moi et l'a mis dans son tiroir.

Denis Beaulieu: Laurent Giroux m'a pourtant dit que tu avais échoué un test en géographie.

Moi: Oui, mais…

Denis Beaulieu: Ça va bien, ton affaire, il faut que tu te reprennes en main et que tu continues le beau travail que tu fais depuis quelques semaines. Peu importe ce qui ne va pas, je peux peut-être t'aider, tu sais.

Là, j'ai craqué:

– Peine d'a-a-a-a-a-a-a-a-amo-ou-ou-ou-ou-ou…

Denis Beaulieu: Peine d'amour?

Moi: Ouiiiiiii-i-i-i-i-i!!

Je prends un mouchoir sur son bureau pour m'essuyer les yeux et me moucher.

Denis Beaulieu : Essaie de trouver des moments pour vivre ta peine et d'autres pour étudier.

Moi : Avant, j'étais capable de faire ça, mais plus maintenant. Je ne sais plus comment redevenir comme avant.

Denis Beaulieu : Comme avant ?

Moi : Comme avant, quand j'étais capable de respirer et de ne plus sentir mon cœur.

Denis Beaulieu : Je ne connais rien là-dedans, mais il me semble que c'est LA chose à ne pas faire.

Il fouille dans son bureau et me tend un dépliant de *On t'écoute*, l'organisme qu'on peut appeler gratuitement pour parler de nos problèmes.

Moi : Non ! Je n'appellerai plus jamais là. Ils sont incompétents !

Denis Beaulieu : Prends le dépliant pareil, au cas où tu en aurais besoin. Écoute, je vais proposer à monsieur Giroux de te refaire repasser ton examen. Ça te va ?

18 h

Ma mère soupe avec François Blais (donc, moi aussi, par le fait même). Il me semble que j'entends des bruits énervants (dégueu) pendant qu'il mange. Je me demande vraiment pourquoi elle ne s'est pas intéressée à Denis Beaulieu. Il est vraiment gentil, lui. Bon, il sent un peu l'après-rasage, mais c'est un défaut qui se règle très facilement.

Troisième étape expérimentée : la tristesse
Han Han Han Han Han Han Han Han Han Han Han Han Han Han Han Han Han Han Han

Han Han Han Han Han Han Han Han Han
Han Han Han Han Han Han.

Souffle.

Han Han Han Han Han Han Han Han Han
Han Han Han Han Han Han Han Han Han
Han Han Han Han Han Han Han Han Han
Han Han Han Han Han Han Han.

Souffle.

Han Han Han Han Han Han Han Han Han
Han Han Han Han Han Han Han Han Han
Han Han Han Han Han Han Han Han Han
Han Han Han Han Han Han Han.

Mercredi 19 avril

En revenant de l'école, je ne peux m'empêcher
de pleurer. C'est plate d'avoir un organe (le cœur)
et de le sentir tout le temps. Je voudrais juste
oublier qu'il est là. Ne plus le sentir. Ne plus rien
ressentir.

16 h 13

En ouvrant mon livre de géo, je tombe sur
le dépliant de *On t'écoute* donné par Denis
Beaulieu. La dernière fois que je les ai appelés, je
n'avais pas senti que la fille avait une grande
expertise, mais il me semble que ma vie avait
été vraiment mieux après.

16 h 15

Bof, je ne perds à rien à les appeler. Ça sonne.

Bénévole *On t'écoute* (une madame): *On t'écoute*, bonjour!

Moi: Bonjour... Je suis en peine d'amour, et j'ai besoin d'aide.

B*ot'é*: Hu-hum... Je t'écoute.

Moi: Ben c'est tout. Je suis en peine d'amour. Qu'est-ce que je fais?

B*ot'é*: Tu as de la peine?

Moi: Je viens de dire que je suis en peine d'amour! Oui, j'ai de la peine!

B*ot'é*: Si tu te permets de vivre ta peine, tu te sentiras mieux avec le temps.

Moi: Comment?

B*ot'é*: Comment quoi?

Moi: Comment je vis ma peine? Je veux dire, j'ai de l'école et tout. Et je suis poche.

B*ot'é*: Accorde-toi des moments où tu peux étudier et d'autres où tu peux te retrouver seule et vivre tes émotions.

Moi: Ah. C'est ça que mon directeur a dit.

B*ot'é*: Pense à toi pendant ces moments difficiles en faisant des activités qui te plaisent et en t'entourant de personnes que tu aimes.

Dans le fond, je suis certaine que cette bénévole a lu un *Miss Magazine* et qu'elle ne fait que répéter ce qu'elle a lu. J'ai moi aussi des *Miss Magazine*, elle saura!

Moi: Avez-vous lu un *Miss Magazine*?

B*ot'é*: Si c'est de lire le *Miss Magazine* qui te fait du bien, lis-en. Tu y trouveras de l'information qui t'aidera à comprendre ce que tu vis ainsi que quelques trucs pour aller mieux.

Ah, ha! Je le savais!

B*ot'é*: Tu peux aussi trouver quelqu'un en qui tu as confiance qui pourra t'écouter et t'accompagner.

Moi: Ben… c'est comme pour ça que je vous ai appelée, genre.

B*ot'é*: Et tu peux le faire en tout temps. Est-ce que je peux faire autre chose pour toi?

Moi: Ben oui. Régler ma peine d'amour, c'est pour ça que je vous ai appelée.

B*ot'é*: Je peux t'écouter et t'accompagner, mais je ne peux pas faire de la magie. Ça partira avec le temps. Ne t'en fais pas.

Le temps, le temps! Je n'ai pas tant de temps que ça, moi! Il faut que je performe à l'école.

Moi: S'il vous plaît, madame. J'ai vraiment besoin d'aide. J'ai de la peine.

B*ot'é*: Une peine d'amour se vit comme un deuil. Il y a cinq étapes…

Moi: Ouain, je le sais…

B*ot'é*: Sois attentive à ce que tu vis. Chaque chose que l'on vit nous apprend quelque chose. Essaie de focaliser sur le positif que cette situation t'apporte.

Moi: Il n'y a aucun positif! J'ai perdu Nicolas!!! (Oups, il ne faut pas que je dise son vrai nom.) Euh… Joe. (Je ne sais pas du tout pourquoi c'est ce nom qui m'est venu spontanément, ça ne lui convient pas du tout.)

B*ot'é*: Je comprends que tu as de la peine. Connais-tu quelqu'un à qui tu peux te confier?

Moi: Ma mère… Ma meilleure amie… Mon voisin, même s'il est la cause de mon malheur, il est gentil.

B*ot'é*: Que veux-tu dire?

Moi : Il m'a comme embrassée, et Nic… Joe l'a su.

Bot'é : As-tu trompé ton chum ?

Moi : NON ! Il l'a fait CONTRE MON GRÉ !

Bot'é : Tu sais qu'en tout temps tu dois dire NON quand une situation ne te convient pas.

Moi : C'est ce que j'ai fait, mais… Tom… mon voisin s'est excusé et ça s'est arrangé. Mais ensuite, mon chum ne l'a pas pris. Et il a cassé. Oh ! je m'en veux !

Bot'é : Sens-tu que tu as été malhonnête avec lui ?

Moi : Ben… non. J'aurais pu lui dire avant, mais… Ça n'a pas adonné. Comment je pourrais lui expliquer pour qu'il comprenne ?

Bot'é : Il a son propre cheminement à faire. Tu ne peux pas l'obliger à comprendre ton point de vue. Respecte-le.

Moi : Et là, à l'école, j'avais commencé à m'améliorer, mais je ne sais pas comment je vais y parvenir maintenant que j'ai autant de peine que ça. Je veux réussir, mais je n'y arrive pas !

Bot'é : Je comprends que tu ressentes que tu en as lourd sur les épaules. Tu as peut-être trop de pression, un peu dans tout. Accepte tes erreurs, autant à l'école que dans tes relations. Tu sembles être capable de le faire pour les autres, mais pas pour toi. Se tromper, ça fait partie de la vie. L'important, c'est d'apprendre de ses erreurs.

Moi : Ouain… Facile à dire. Euh… J'ai une dernière question. Quand « Joe » m'a laissée, un oiseau m'a fait caca sur la tête et ça me déprime que ce soit la dernière image qu'il ait de moi.

Bot'é: La mémoire ne fonctionne pas comme ça. Allez, concentre-toi sur le positif dans ta vie et tout ira bien. Tu verras, le temps arrange les choses. Est-ce que je peux faire autre chose pour toi?

Moi: Oui, euh… Pouvez-vous exterminer les oiseaux?

Je crois qu'elle n'a pas pris mon excès de rage (très justifié selon moi) envers les oiseaux au sérieux puisqu'elle a répondu:

– Si tu ressens encore le besoin de parler, tu peux nous appeler en tout temps. Prends soin de toi!

Et elle a raccroché.

Espèce d'air bête!

16 h 34

J'appelle Kat.

Moi: En peine d'amour, as-tu appelé *On t'écoute*?

Kat: Oui.

Moi: Ils sont bêtes.

Kat: Non, ils sont super! C'est grâce à eux que je m'en suis sortie.

Moi: Tu m'as dit que c'était grâce à moi!

Kat: C'est grâce à plein de choses. J'ai focalisé sur le positif dans ma vie. Tu vas voir, fie-toi à mon expérience, le temps arrange les choses.

Moi: ARRÊTEZ DE DIRE ÇA!!!

Mardi 25 avril

Je ne parle pas à ma mère depuis quatre jours, sauf pour les choses essentielles du genre 1) j'ai faim, 2) c'est à mon tour d'utiliser la salle de bain et 3) oui, oui, je vais faire la vaisselle tantôt. Ce qu'elle m'a dit est totalement révoltant, frustrant, et tous les mots en « ant » que je n'ai pas encore trouvés dans le dictionnaire! Elle a dit (aaaaaaaaaaah!) qu'elle s'en allait (grrrrrrrrrrrrrr!) en France TOUT L'ÉTÉ avec François Blais! Sur le coup, j'ai cru que j'y allais moi aussi, alors je n'étais pas encore fâchée et je me disais que, puisque Kat s'en allait un mois dans un camp d'équitation, je ne serais pas toute seule et que de découvrir un nouveau pays serait très bon pour ma culture personnelle, mais ma mère a dit :

– C'est que… c'est un voyage d'affaires et on voulait en profiter pour… se connaître un peu plus.

Quand elle m'a dit ça, le plancher m'a avalée et je vis dans les catacombes depuis ce temps-là (formule imagée, je ne vis pas dans des catacombes, *pour de vrai*. J'ai heureusement réprimé mon envie de rentrer sous terre *juste à temps*. Fiou).

Je n'en reviens pas qu'elle m'abandonne pour aller en France avec quelqu'un qu'elle connaît à peine. Bon, OK, elle travaille avec lui depuis des années, mais connaît-on vraiment les gens qu'on fréquente tous les jours? Non! On ne les connaît pas. Justine, par exemple, je la vois tous les jours à l'école, mais je ne sais pas quel est son plat préféré, ni quel est son film favori, ni quelle musique elle écoute en cachette. Bref, elle pourrait être le diable en personne que je ne le saurais pas. Comment peut-on *deviner* ces choses-là ? Peut-être que François Blais emmène ma mère en France pour la vendre pour la traite des Blanches ! Ou comme geisha ! Bon, la France n'est pas reconnue pour ces affaires-là, mais son contact vit peut-être là-bas.

Ma mère pense que je n'ai pas à me fâcher parce que je vais passer l'été avec mes grands-parents Charbonneau… en camping ! Et que je vais avoir de la compagnie parce que je vais voir des cousins-cousines avec qui je n'ai aucune affinité. EN CAMPING !!! Je DÉTESTE le camping ! Je DÉTESTE le Winnebago de mes grands-parents. Et je vais être pognée TOUT l'été avec eux ! Pendant que ma mère va se prélasser en France !

Quatrième étape expérimentée : la colère
TOUT LE MONDE M'ÉNERVE ! TOUT. LE. MONDE. Je voudrais juste déménager ! SUR UNE AUTRE PLANÈTE ! J'y suis déjà, on dirait, de toute façon, parce que personne ne me comprend ! Ma mère ne me connaît vraiment pas si elle croit qu'aller faire du camping avec un couple de l'âge d'or me fait plaisir ! OK, ce sont mes grands-parents et la famille est importante et blablabla. Mais elle s'inquiète très peu de MES goûts personnels. Et puis, tant qu'à y être, Nicolas aussi m'énerve ! Pourquoi il est fâché contre moi au juste ? C'est moi qui devrais être fâchée contre lui d'être aussi bébé ! Je lui ai tout expliqué ! Tout ! Il est vraiment juste une

espèce de jaloux! Je lui ai dit que je l'aimais et je lui ai raconté toute la vérité. TOUTE! Et puis, je ne veux pas être snob ou quoi que ce soit, mais qui tripe à ce point-là sur Brice de Nice à part son meilleur ami et son frère, deux personnes hyper-importantes dans sa vie? Hein? Qui? Per-son-ne! Et vu que «qui se ressemble s'assemble», Nicolas n'est pas mieux qu'eux! Ce n'est pas lui qui casse! C'est moi qui casse!

P.-S.: Kat m'a fortement déconseillé d'appeler Nicolas pour casser, plusieurs jours après qu'il ait lui-même cassé, sans quoi je passerais pour une folle finie (ce sont ses mots). Humph! On est dans un pays libre!

P.-S. n° 2 – Pour les archives: J'ai écouté le conseil de Kat. Je n'ai pas appelé Nicolas. Mais il ne perd rien pour attendre!

Mercredi 26 avril

Horreur! Stupéfaction! Épouvante! Ahurissement!

Apportez-moi un sac en papier que je puisse hyperventiler sans risque!

J'ai fait des recherches sur Google sur la France et, à la plage, les femmes font du monokini!!!!!!!!!!!!!!!!!!!!!!!!!!!!! Ma mère va faire du monokini!!!!!!!!!!!!!!!!!!!!! Ça veut dire qu'elle va se faire bronzer sans son top de bikini… LES

SEINS NUS ! Je suis tellement hors de moi que je crois que je vais m'évanouir.

Espèce de Google qui n'est pas capable de m'aider à régler ma peine d'amour, mais qui peut m'annoncer que ma mère montrera ses seins à TOUT LE MONDE !

17 h 02

La vie ne me laisse vraiment aucun répit.

17 h 03

Ma mère... France et son chum François s'en vont en... France. Hihihihihihi !

17 h 04

Non, je suis fâchée, bon ! Pas question d'en rire !

Étape floue expérimentée non décrite par le *Miss Magazine*: émotions mélangées de déni-tristesse-colère-tristesse-culpabilité-tristesse

Nicolas va m'appeler pour me dire qu'il m'aime et qu'il regrette. Han han han han han. Tout le monde m'énerve ! Han han han han han... Tout est de ma faute... Han han han han han. Je suis *twit*. Han han han han han.

20 h

J'appelle Kat pour me faire rassurer sur le phénomène que je vis. Elle dit qu'elle a vécu la même chose. Tout est sous contrôle. (Ce sont les mots de Kat et non exactement comment je me sens, car ce serait plutôt le contraire.)

Jeudi 27 avril

J'ai cru que j'allais faire une crise cardiaque quand ma mère m'a dit :

– Il va falloir commencer à chercher un bon endroit pour faire garder Sybil cet été pendant que tu seras en camping avec tes grands-parents.

Moi : Quoi ?!?!!!!! C'est hors de question !

Ma mère : Il y a des bons endroits où les animaux sont bien traités.

Moi : T'es mieux de me réserver une cage pour moi aussi parce que j'y vais avec elle !

Ma mère : Aurélie, sois raisonnable !

Moi : Je suis très raisonnable. Je n'abandonne pas Sybil un été complet ! Tu m'as dit que j'étais responsable d'elle et c'est ce que je suis ! Et ça ne concerne pas juste ses crottes dans la litière ! Ils me prennent avec Sybil ou pas du tout !

19 h

Ma mère : Mes parents disent que c'est difficile de faire du camping avec un chat.

Moi : Je n'y vais pas. C'est tout.

Ma mère : Mais… J'ai appelé ta grand-mère Laflamme et elle accepte de te prendre avec Sybil. Elle est même contente ! Elle en pleurait de joie.

Moi : Pour de vrai ?

Ma mère : Oui.

Moi : Elle était vraiment contente ?

Ma mère : Elle adore les minous. Et elle t'adore.

Ma grand-mère m'adore? Vu la grosseur du chocolat qu'elle m'a envoyé, j'en doute. Je crois plutôt qu'elle veut que j'EXPLOSE d'une surdose de cacao. Je vois déjà les gros titres dans les journaux :

Une ado de 14 ans explose

La victime, Aurélie Laflamme, quatorze ans, aurait avalé un chocolat géant que la présumée coupable, Simone Laflamme, lui aurait donné à Pâques. Une enquête du coroner suivra et nous serons alors en mesure de vous donner plus de détails sur ce drame dans les prochains jours.

19 h 03

Ma mère (qui continue) : Je ne veux pas dire ça parce que mes parents ne t'aiment pas, au contraire. C'est juste que... Qu'est-ce que tu veux ? Ils ont la tête dure ! Un peu comme toi. Ne leur en veux pas...

Moi : Je ne leur en veux pas, je ne voulais juste pas partir sans Sybil. Déjà que je ne verrai personne que j'aime de l'été.

Ma mère : Je comprends, Cocotte... C'est arrangé, maintenant.

Moi : Maman, quand je vais avoir quinze ans, vas-tu arrêter de me donner plein de petits noms ?

Ma mère : Je n'ai pas le droit de t'appeler Pitoune, ni Choupinette, ni Cocotte ?

Ma mère avait l'air vraiment triste.

Et la voir comme ça m'a vraiment rendue encore plus triste. Toute ma vie des derniers temps a défilé dans ma tête et je me suis soudain sentie complètement vide. Je suis partie dans ma chambre pour avoir la paix.

19 h 10

Je flatte Sybil dans le cou (elle adooooore ça) et, pendant qu'elle ronronne, je lui dis :

– Tu me comprends, hein, toi, ma Sybillou ? Tu sais ce que c'est d'avoir perdu tes deux parents… Mais inquiète-toi pas. Je suis là, moi. Je ne te laisserai jamais toute seule. Je vais toujours être là. On ne se quittera jamais.

19 h 12

Alors que je commence à pleurer, Sybil vient sur moi et commence à lécher mes larmes. Je la trouve tellement mignonne que ça me fait rire.

19 h 15

Ma mère entre dans ma chambre sans frapper et vient s'asseoir à côté de Sybil et moi.

Ma mère : Tu sais, Aurélie, je comprends comment tu te sens.

Moi : Tu ne peux pas comprendre.

Ma mère : Explique-moi.

Moi : Je ne veux pas que tu partes en voyage !

Ma mère : Pourquoi ?

Moi : Parce que ! Je ne partirais jamais sans Sybil, moi !

Ma mère commence à flatter Sybil qui ronronne maintenant très fort.

Moi : Qu'est-ce que je vais faire s'il t'arrive quelque chose ?

Ma mère : Quoi ?

Moi : Genre un accident d'avion ?

Ma mère : Ça n'arrive pratiquement jamais.

Moi : Mais ça pourrait arriver ! Papa avait une chance sur combien d'avoir une embolie pulmonaire ? Et il en a eu une.

Ma mère: C'est différent.

Moi: Dans le fond, je le sais, ce que tu veux faire! Tu veux effacer papa!

Ma mère: Non.

Moi: Oui! Et c'est pour ça que t'as voulu tout repeindre.

Ma mère: C'était ton idée!

Moi: C'est toi qui as insisté!

Ma mère: Écoute… J'avoue que quand j'ai découvert mes sentiments pour François, je voulais qu'on repeigne pour partir sur… des nouvelles bases. Tu comprends?

Moi: T'as voulu l'effacer! C'est juste que tu le dis avec d'autres mots!

Ma mère: Je ne veux pas l'effacer, mais le mettre dans mes souvenirs plutôt que dans mon quotidien. Il faut que je recommence à vivre. Autant pour moi que pour toi. J'ai passé des années à être malheureuse. Je suis certaine que tu veux que je sois heureuse. Tu me l'as dit toi-même que j'étais un zombie avant.

Moi: Si jamais il arrive quelque chose et que ton avion explose et que tu vas au Ciel, qui tu vas choisir entre papa et François Blais?

Ma mère: Tu sais que je ne crois pas à ces choses-là.

Moi: Mais *moi*, j'y crois.

Je lui lance un regard implorant, rempli de larmes que la colère me permet de retenir.

Ma mère (après une grande inspiration): Ton père sera toujours mon grand amour. Je veux juste arrêter d'être desséchée à l'intérieur et recommencer à avoir une vie normale. J'ai envie d'être heureuse. Je ne m'endure plus autrement.

On se regarde et, après un silence, elle dit calmement :

— Tu sais, je réalise que ce n'était pas une bonne idée de m'organiser un voyage. C'est peut-être trop tôt. Je vais annuler.

Moi : C'est vrai ?

Ma mère : Je vais remettre ça à plus tard, ce n'est pas un bon moment.

Moi : Oooooooh ! Merci, maman.

Et je l'ai serrée très fort dans mes bras. Puis, quand elle est ressortie, j'ai dit :

— Tu peux me donner des petits noms, t'sais, si tu veux. Mais pas en public.

Vendredi 28 avril

J'ai un exposé oral aujourd'hui à faire en français. Le sujet est libre. On peut parler de n'importe quoi. Hier soir, j'étais tellement émotive que j'ai écrit un poème. Tous mes sentiments des derniers mois se sont mélangés et j'ai écrit, écrit, écrit. Tommy m'a même composé de la musique pour aller avec mon poème, qu'il trouve super-beau.

14 h 45

Je suis la cinquième à passer. Je tiens dans mes mains la feuille sur laquelle est écrit mon poème et, en regardant toutes les têtes dans la classe, je deviens très nerveuse. Tous les uniformes que portent les filles de la classe deviennent flous et je ne vois qu'une masse informe.

Je dépose la radio sur le bureau de Marie-Claude et je démarre la musique que Tommy a composée et gravée sur un CD.

Après avoir avalé ma salive, je lis :

– *Emprisonné*, par euh (mes jambes tremblent)… moi, Aurélie Laflamme.

Il est enfermé
Le beau prince charmant
Dans sa forteresse, il est gardé
Et il y restera longtemps

Pour son amour
Il va payer
Non pas sur du velours
Mais bien séquestré

Le prince charmant
Jamais n'avait rêvé
Jusqu'au jour où une belle à sa fenêtre chantant
Est venue le délivrer

Prince désiré, il était
Par les riches femmes du royaume
Mais c'était la dame mystérieuse qu'il aimait
Alors, jalouses, ses courtisanes lui ont retiré son trône

Et c'est comme ça que c'est arrivé
Le prince est maintenant bien chambré
Son lit à baldaquin, il l'a oublié
Il dort maintenant sur de l'osier

Chaque soir, elle chante à sa fenêtre
La belle jeune fille mystère
Il voudrait mieux la connaître
Même si c'est elle qui a causé ses misères

Elle était venue pour le délivrer
Et elle a réussi
Car maintenant, il sait rêver
Il rêve du jour où ils seront réunis

J'arrête la musique et j'explique la symbolique de mon poème :

– Euh… (je me tourne nerveusement une couette de cheveux). Le prince charmant représente mon cœur. Il y a longtemps, j'avais mis mon cœur en prison pour me protéger des sentiments trop forts. Pis un jour, quelqu'un de vraiment gentil m'a permis d'oublier ma carapace. Et là… j'ai mal. Comme je n'ai jamais eu mal. Mais je suis contente d'avoir ressenti… quelque chose. Quelque chose de beau. Le seul problème, c'est que maintenant, tous mes sentiments sont libérés et que je ne sais plus comment les contrôler. Quand on a eu le cœur brisé, on a peur de nos sentiments. Mais s'ouvrir, quitte à avoir de la peine de nouveau, ça fait… se sentir en vie. Un ami m'a dit l'autre jour qu'avoir de la peine fait partie de la vie. Et parfois, on vit des choses difficiles, mais il faut passer par-dessus et continuer à rêver. Merci.

15 h 10
J'ai quitté la salle de cours en courant pendant que les filles de la classe m'applaudissaient. Je suis ensuite sortie de l'école en trombe. Je n'ai

pas mis mon manteau. De toute façon, il fait chaud. Ma mère dirait sûrement : « En avril, ne te découvre pas d'un fil. » Ma mère, ma mère, ma mère. Qu'est-ce que j'ai fait ?

15 h 15

J'ai pris l'autobus. Anxieuse d'arriver à destination le plus tôt possible, je fais sautiller ma jambe droite et je crois que ça énerve le monsieur assis à côté de moi.

15 h 35

Je suis sortie de l'autobus. Et j'ai couru, couru, couru. Tous les événements des derniers mois se bousculent dans ma tête : mon premier amour, tous mes mensonges à Kat, le premier chum de ma mère depuis le décès de mon père, mon père, le Bugs Bunny qu'il a gagné pour moi, Tommy, mon voisin fatigant, responsable de mon malheur et devenu ami, mes mauvais résultats scolaires, mes efforts pour me sortir la tête du bocal (totalement métaphorique) et je continue de courir, courir et courir.

15 h 45

Je suis arrivée devant le grand building. J'ai pris l'ascenseur. De la petite musique tranquille ne s'agençait pas du tout avec les battements de mon cœur qui faisait poum-poum-pi-poum, poum-poum-pi-poum.

15 h 47

Ding ! L'ascenseur est arrivé au bon étage. J'ai couru devant le bureau de la réception-niste, j'ai dépassé des cubicules où des gens travaillaient. Je n'entendais plus la musique, seulement mon cœur battre, ma respiration haletante, le bruit des mes pas sur le sol et celui du frottement de la jupe de mon uniforme scolaire sur mes jambes quand je courais.

15 h 48

J'ai aperçu ma mère qui travaillait devant un écran plat. Elle avait ses lunettes et s'est retournée vers moi.

Ma mère : Qu'est-ce que tu fais là, Cocotte ?

Moi : Je suis venue te dire de ne pas annuler ton voyage.

Ma mère : C'est trop tard… J'ai déjà dit à François que…

Je suis sortie du bureau de ma mère et j'ai couru dans tout l'étage à la recherche du bureau de François Blais. Puis, je l'ai trouvé. Il parlait à quelqu'un dans le corridor. Il était un peu incliné parce que la personne à qui il parlait était plus petite que lui. J'ai attrapé son bras et j'ai dit :

– François, n'annule pas le voyage avec ma mère. Tout est de ma faute.

J'ai laissé faire mes formules de politesse (distance) pour cette fois-ci.

François Blais : Ce n'est pas grave, Aurélie. Ta mère et moi, on va se reprendre.

Moi : NON ! Je veux que vous y alliez. Je veux que ma mère soit heureuse !

(Dans ma tête : Même si c'est avec toi et que ça se peut que tu sois machiavélique, Diabolo-Man !)

Ma mère (qui était derrière nous) : Oh, ma Cocotte…

Je me suis approchée d'elle et je lui ai dit tout bas :

— Tu te rappelles, on avait dit pas. en. public.

Ma mère m'a prise dans ses bras et elle m'a dit :

— Je t'aime, ma belle Choupinette.

Ses collègues de travail ont fait :

— Hoooooooooon !

Je me retire de son étreinte et je lui dis :

— Y a juste une petite affaire par contre. Si tu pouvais garder ton top de bikini pendant toutes tes vacances, ce serait vraiment *cool*.

Ma mère : Ha ! Ha ! Ha ! OK, promis.

Ma mère a mis son bras autour de mes épaules et m'a entraînée vers son bureau en disant :

— Viens, on va appeler Denis Beaulieu pour lui dire que tu es ici. Je me demande si je ne devrais pas te mettre en punition pour être partie de l'école.

Moi : Ha. Ha. Très drôle.

20 h

Je suis sur mon lit, en train de faire mes devoirs, que Kat m'a apportés. (Très pratique d'avoir une amie qui connaît notre combinaison de cadenas.) Voilà mon plan d'attaque pour les prochains mois : 1) rattraper mon retard dans mes cours, 2) profiter du temps qu'il me reste avant de devoir quitter la ville *et* ma meilleure amie, 3) ne plus penser à Nicolas (surtout, ne pas faire d'obsession sur le fait que sa dernière vision de moi soit avec une crotte d'oiseau sur la tête), bref 4) ne penser qu'aux choses positives.

Dernière étape : l'acceptation

Hum… Pour celle-là, je crois que ça va prendre un peu plus de temps. Je me demande combien, au juste. Je crois que la vérité, c'est que même si j'arrive à avoir un peu moins de peine, je n'oublierai jamais Nicolas. Et c'est tant mieux. Car si je sublime mon image de crotte d'oiseau, je n'arrive à me rappeler que de bons souvenirs avec lui.

Samedi 29 avril

Je reviens de chez Tommy, où on a regardé un film, lui, Kat et moi. Ces deux-là s'entendent beaucoup mieux depuis que Tommy a promis qu'il ne mangerait plus de cheval dans les fondues chinoises et qu'il feint de s'intéresser à tout ce que dit (à répétition) Kat au sujet de son camp d'équitation. Ils ne sont peut-être pas rendus au point de *réaliser* qu'ils sont faits l'un pour l'autre, mais pour l'instant, c'est *cool* que mes deux seuls amis s'entendent bien.

21 h 03

En rentrant chez moi, je remarque que les lumières sont éteintes et que la maison n'est éclairée que par la lueur de la télé. Ma mère écoute un film avec François Blais et semble heureuse (si j'étais quétaine, je dirais qu'elle irradie de bonheur, mais je me garde une petite gêne). Je leur souhaite bonne soirée et je me dirige vers ma chambre.

21 h 05

J'enfile mon pyjama et je place mes écouteurs d'iPod sur mes oreilles. Sybil vient me rejoindre sur mon lit. Elle me regarde, fait « rrrrou » et avance son nez vers le mien pour me donner un bisou. Une chance que je l'ai. Et je passerai tout l'été avec elle. Et ma grand-mère, bien sûr. Je la regarde (Sybil, pas ma grand-mère) et je n'en reviens pas de voir combien, en quelques mois, elle a grandi. En lui caressant les oreilles et le cou, je me dis que je devrais la prendre en exemple et grandir moi aussi. Après tout, je vais avoir quinze ans cet été. Il est temps que je devienne plus mature.

Le journal d'Aurélie Laflamme, Extraterrestre… ou presque ! tome 1

Maintenant en librairie